CHRONIQUES BIRMANES

Guy Delisle

CHRONIQUES BIRMANES

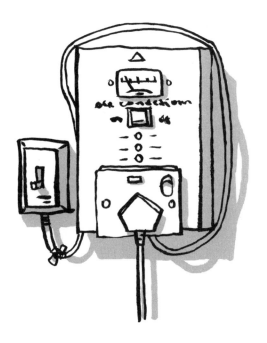

shampooing

Pour Nadège.

Dans la même collection :
http://www.editions-delcourt.fr/catalogue/collections/shampooing

Du même auteur, chez le même éditeur :
• *Chroniques de Jérusalem*
• *Louis à la plage*
• *Louis au ski*

À l'Association :
• *Pyongyang*
• *Shenzhen*
• *Albert et les autres*
• *Aline et les autres*
• *Réflexion*

Chez Dargaud Éditeur :
• *Inspecteur Moroni* (trois volumes)

Aux Éditions La Pastèque :
• *Comment ne rien faire*

Site Internet :
www.guydelisle.com

shampooing

Collection dirigée par Lewis Trondheim.

L'auteur a bénéficié, pour la rédaction de cet ouvrage, du soutien du Centre National du Livre.

Conception graphique : Trait Pour Trait, Lewis Trondheim & Guy Delisle

Imprimé et relié en juin 2012
par CPI Aubin imprimeur, à Ligugé

www.editions-delcourt.fr

MYANMAR

NOM OFFICIEL DEPUIS 1989, ADOPTÉ PAR L'O.N.U.

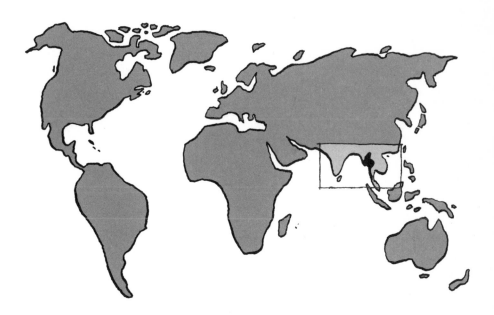

BIRMANIE

ANCIEN NOM TOUJOURS UTILISÉ PAR LES PAYS QUI NE RECONNAISSENT PAS LE GOUVERNEMENT DE 1989. TEL QUE LA FRANCE, L'AUSTRALIE, LES ÉTATS-UNIS...

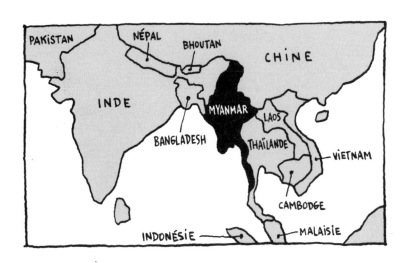

LE DÉPART

PAPA MAMAN BÉBÉ

3

4

GUEST HOUSE

CONTRAIREMENT À CE QU'ON CROYAIT, MSF* N'A PAS DE MAISON POUR NOUS. IL FAUDRA QU'ON EN CHERCHE UNE.

AH!

* M.S.F. = MÉDECINS SANS FRONTIÈRES

EN ATTENDANT, ON HABITE DANS LA "GUEST HOUSE". C'EST-À-DIRE L'ENDROIT OÙ RÉSIDENT LES EXPATRIÉS DU TERRAIN, DE PASSAGE DANS LA CAPITALE.

24A

LE REZ-DE-CHAUSSÉE EST OCCUPÉ PAR LES BUREAUX DE LA MISSION.

6

DURANT LES PREMIERS JOURS, JE RESTE CANTONNÉ À L'ÉTAGE AVEC LOUIS PENDANT QUE NADÈGE COMMENCE À OCCUPER SES NOUVELLES FONCTIONS.

LÀ-HAUT, JE NE LÂCHE PAS LOUIS D'UNE SEMELLE.

CAR IL Y A DES PRISES ÉLECTRIQUES UN PEU PARTOUT ET CE SONT DE VÉRITABLES PIÈGES À BÉBÉS.

LUMIÈRE ROUGE POUR BIEN CAPTER L'ATTENTION ET ATTIRER LE POUPON.

INTERRUPTEUR POUR JOUER AVEC LA LUMIÈRE.

OUVERTURES DE PRISE ÉNORMES. (DE LA TAILLE D'UN PETIT DOIGT !)

À CELA SE RAJOUTE UN TRANSFORMATEUR VISSÉ À MÊME LE PLANCHER AVEC DEUX GROS FILS ROUGES DE CHAQUE CÔTÉ.

ADA ?

ET JUSTE AVANT DE PARTIR, UN MÉDECIN URGENTISTE ME DÉCRIVAIT LES BLESSURES DES ENFANTS QUI ONT ÉTÉ ÉLECTROCUTÉS.

CE QUI, MÉLANGÉ À LA FATIGUE DU DÉCALAGE HORAIRE, A POUR EFFET DE ME PLONGER DANS UN ÉTAT FRISANT LA PANIQUE.

AU COURS DE LA SEMAINE, JE FERME LES OUVERTURES GRÂCE AUX AUTOCOLLANTS QUI IDENTIFIENT LE NUMÉRO DES BAGAGES.

JE ME PROCURE UNE BASSINE POUR DONNER LE BAIN, PARCE QUE LA DOUCHE POUR LES BÉBÉS, C'EST VRAIMENT PAS L'IDÉAL.

J'ÉTABLIS UN PÉRIMÈTRE DE JEU AVEC UN MATELAS QUE J'ENTOURE DE VALISES.

BREF, LA SITUATION S'AMÉLIORE PETIT À PETIT ET JE PARVIENS À ME DÉTENDRE.

À TEL POINT QUE LES JOURS SUIVANTS, JE PASSE LE PLUS CLAIR DE MON TEMPS À FAIRE LA SIESTE, À SOMNOLER ET À VAGUEMENT POTASSER DES MAGAZINES.

TIME

SOUVENT LES EXPATRIÉS LAISSENT DERRIÈRE EUX LES LIVRES QU'ILS ONT APPORTÉS. AINSI, CERTAINES MAISONS SE RETROUVENT ÉQUIPÉES D'UNE JOLIE PETITE BIBLIOTHÈQUE.

MAIS ICI Y'A PAS GRAND-CHOSE : DEUX GUIDES SUR LA BIRMANIE, UN SUR LA THAÏLANDE, ET LE RESTE SUR L'ACTION HUMANITAIRE.

MEKONG MALARIA FORUM

CÔTÉ MAGAZINES, ILS ONT UN ABONNEMENT AU "TIME" QUE JE PARCOURS CHRONOLOGIQUEMENT.

HÉ! MAIS IL MANQUE DES PAGES DANS CELUI-LÀ.

OOC!

AU MYANMAR, TOUS LES MAGAZINES PASSENT PAR UN BUREAU DE LA CENSURE. LES ARTICLES PEU FLATTEURS POUR LE PAYS SONT SYSTÉMATIQUEMENT RETIRÉS.

AH OUI, TIENS! C'EST VRAI. J'OUBLIAIS QU'ON EST SOUS UNE DICTATURE.

CITY MART

PARMI LES PREMIERS REPÈRES DE NOTRE NOUVEAU QUOTIDIEN, IL Y A LE "CITY MART" DANS LEQUEL ON TROUVE LES PRODUITS DE CONSOMMATION DE BASE.

TIENS, T'AS VU? ILS ONT MÊME DES COUCHES.

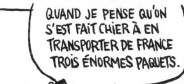

QUAND JE PENSE QU'ON S'EST FAIT CHIER À EN TRANSPORTER DE FRANCE TROIS ÉNORMES PAQUETS.

ON M'A DIT QU'ON N'EN TROUVAIT PAS.

PAS DE COUCHES ET UNE MAISON, MMM?

AH, LES RAYONS ALIMENTAIRES DES PAYS ÉTRANGERS! JE DOIS AVOUER QUE JE TROUVE ÇA EXTRÊMEMENT EXOTIQUE.

10

C'EST UN ASPECT DE LA CULTURE D'UN PAYS QUE LES TOURISTES RATENT COMPLÈTEMENT.

SI J'AVAIS À ÉCRIRE UN GUIDE, IL EN SERAIT QUESTION.

★★★ MILIEU DE LA 3e ALLÉE, SUR LA GAUCHE : NE PAS RATER LA SÉRIE DE BOÎTES DE CONSERVE, THON, SARDINE ET MAQUEREAU, IMPORTÉES DE SINGAPOUR.

GRAPHIQUEMENT IL Y A DES TRÉSORS ! J'EN ACHÈTE RÉGULIÈREMENT, QUE JE VIDE SANS TROP SAVOIR CE QU'ILS CONTIENNENT ET JE LES TRANSFORME EN PORTE-CRAYONS.

J'EN AI COMME ÇA TOUTE UNE COLLECTION À LA MAISON QUI FAIT L'ENVIE DE MON ENTOURAGE.

EH, PAS MAL, CELLE-LÀ !

KENYA 2002.

AH NON, PAS ÇA !

CERTAINS PRODUITS ONT RÉUSSI À ENVAHIR LE MONDE ENTIER. IMPOSSIBLE DE SE RENDRE QUELQUE PART SANS POUVOIR TROUVER DU NESCAFÉ OU DE LA VACHE QUI RIT.

VOILÀ LE VRAI VISAGE DE LA MONDIALISATION : UNE GROSSE VACHE ROUGE QUI RIGOLE.

LE PERSONNEL DOIT PAS COÛTER CHER DANS LE COIN.

DANS CERTAINES SECTIONS, IL Y A PLUS D'EMPLOYÉS QUE DE CLIENTS.

PARDON, S'CUZEZ.

ET COMME DIRAIT L'AUTRE: TROP DE SERVICE TUE LE SERVICE.

OH! THANK YOU.

TIENS, C'EST PAS LE TYPE DE L'ONU, ÇA? OU PLUTÔT DE LA CROIX-ROUGE, JE SAIS PLUS TROP.

HCR, CICR, PAM, ACF, AZG, AMI, MDM,* JE CONFONDS TOUT ÇA, MOI.

ZUT IL M'A VU.

HELLO!

12

* HAUT COMMISSARIAT AUX RÉFUGIÉS, COMITÉ INTERNATIONAL DE LA CROIX-ROUGE, PROGRAMME ALIMENTAIRE MONDIAL, ACTION CONTRE LA FAIM, ARTSEN ZONDER GRENZEN (MSF HOLLANDE), ACTION MÉDICALE INTERNATIONALE, MÉDECINS DU MONDE.

EH! T'ENTENDS CETTE SOUPE QUI TOURNE EN BOUCLE ?

EVERY SHA-LA-LA-LA

MMM?

MMM?

ET TU SAIS C'EST QUI ?

C'EST KAREN CARPENTER, L'ÉQUIVALENT MUSICAL DE LA VACHE QUI RIT !

C'EST INSOUTENABLE ! ILS ONT QUE CETTE CHANSON ? ÇA FAIT SIX FOIS DE SUITE QU'ILS NOUS LA REPASSENT.

D'AUTANT QUE POUR UNE ÉPICERIE C'EST PAS FRAN-CHEMENT LE MEILLEUR CHOIX VU QU'ELLE EST MORTE D'ANOREXIE.

SI JE NE M'ABUSE

EVERY SHINGELINGELING EVE

MMM ?

T'AS FINI ? PARCE QUE JE TIENDRAI PAS UNE SEPTIÈME FOIS.

OUF !

PLUS TARD DANS LA SEMAINE.

WO-OV-OV-OH

CITY MART ?

13

LA CLIM.

EN BIRMANIE, IL Y A LA SAISON CHAUDE, LA TRÈS CHAUDE ET LA SAISON DES PLUIES.

EN FÉVRIER PAR EXEMPLE, ON TRANSPIRE DU MATIN JUSQU'AU SOIR.

ET APPAREMMENT C'EST QUE LE DÉBUT.

TU VERRAS, ÇA VA AUGMENTER JUSQU'À CET ÉTÉ LORSQUE LA PLUIE ARRIVERA.

QUOI ! IL VA FAIRE ENCORE PLUS CHAUD ?

BON SANG, COMMENT EST-CE POSSIBLE ?

DÉJÀ POUR ALLER SE BALADER AVEC BÉBÉ, JE DOIS ATTENDRE PRESQUE JUSQU'AU COUCHER DU SOLEIL.

HOU LÀ !

ENCORE UNE DEMI-HEURE ET ON VA POUVOIR Y ALLER.

15

DE L'ARCHITECTURE EN MILIEU TROPICAL.

POUR SE TROUVER UNE MAISON, ON FAIT AFFAIRE AVEC UN AGENT IMMOBILIER QUI NOUS APPELLE À TOUT MOMENT.

DRING

ON A BEAU LUI DIRE QU'ON CHERCHE QUELQUE CHOSE DE PETIT ET DE PAS TROP CHER, ELLE NOUS BALADE DE GAUCHE À DROITE EN NOUS FAISANT VISITER TOUT ET N'IMPORTE QUOI.

LES MAISONS À LOUER NE MANQUENT PAS. BEAUCOUP D'ÉTRANGERS QUITTENT LE PAYS DEPUIS L'EMBARGO AMÉRICAIN.

Y'A PAS LA CLIM? LAISSE TOMBER.

POUR UN PAYS PAUVRE, LA CONSTRUCTION DE MAISONS SE PORTE ÉTONNAMMENT BIEN. IL Y A UN CHANTIER DANS CHAQUE RUE.

LA RAISON EST SIMPLE : LES BANQUES NE SONT PAS FIABLES. ALORS CEUX QUI ONT DE L'ARGENT PRÉFÈRENT INVESTIR DANS QUELQUE CHOSE DE SOLIDE.

DÉBUT 2005, LA "ASIA WEALTH BANK" ET LA "MAYFLOWER BANK" ONT ÉTÉ FERMÉES PAR LE GOUVERNEMENT SANS PRÉAVIS.

ON NOUS A RÉGULIÈREMENT PROPOSÉ UN MODÈLE QUE JE QUALIFIERAIS DE GRECO-BIRMANO-CHINOIS.

THIS WAY PLEASE.

- TROIS ÉTAGES ÉTROITS
- EXTÉRIEUR EN PETITS CARREAUX DE CÉRAMIQUE
- TOIT EN PLASTIQUE BLEU, IMITATION TUILE
- VITRES-MIROIR BLEUTÉES
- DES BALCONS PARTOUT
- ET DES COLONNES GRECQUES

ÇA FAIT PAS UN PEU NOUVEAUX RICHES, LES COLONNES ?

ET À L'INTÉRIEUR, C'EST PAS MIEUX. LES VOLUMES ONT ÉTÉ DIVISÉS PAR UN ARCHITECTE FOU.

UN SALON ENTRE DEUX ÉTAGES ?

HÉ VIENS VOIR! UN BALCON POUR UNE SEULE PERSONNE À LA FOIS.

AH BON? RENTRE, JE VEUX ESSAYER.

BREF, DES MAISONS MODERNES PARFAITEMENT INADAPTÉES À LA RÉGION. L'AIR Y CIRCULE TRÈS MAL. DEUX MINUTES SANS LA CLIMATISATION ET C'EST LE FOUR.

MON DIEU, FAITES QUE ÇA REPARTE !

ALORS QUE LE MODÈLE TRADITIONNEL LAISSE PASSER L'AIR PAR LE TOIT, ET L'OMBRE SOUS LA MAISON ASSURE UN ENDROIT FRAIS TOUTE L'ANNÉE.

MIS À PART CES CONSIDÉRATIONS ESTHÉTIQUES ET PRATIQUES, C'EST PAS LE GENRE DE MSF DE DÉPENSER L'ARGENT DES DONATEURS POUR PAYER UN PALACE À SES EXPATRIÉS.

... AVEC UN SEUL ÉTAGE.

T'AS VU? Y'A UNE PISCINE.

ME SUIS-JE BIEN FAIT COMPRENDRE ?

À LA FIN DE LA JOURNÉE, ON NE DESCEND MÊME PLUS POUR LES VISITER.

NO.

NO.

NO.

ON RENTRE BREDOUILLES ET PASSABLEMENT ÉNERVÉS. DE PLUS, J'AI BIEN L'IMPRESSION D'AVOIR ATTRAPÉ UN COUP DE SOLEIL.

T'ES ROSE.

ON FINIT PAR CHANGER D'AGENT IMMOBILIER ET UNE SEMAINE PLUS TARD IL NOUS FAIT REVISITER LES MÊMES BARAQUES.

18

AVENTURES EN
BiRMANIE
I

TROP MARRE DE CREVER DE CHAUD,
JE ME COUPE LES CHEVEUX À LA TONDEUSE.

MAIS TOUT SEUL, C'EST
PAS FACILE.

UN FAUX MOUVEMENT FAIT
SAUTER LE PATIN ET JE ME
RETROUVE AVEC UN TRIAN-
GLE CHAUVE SUR LA TÊTE.

FASCINÉ PAR LA SENSATION,
JE N'ARRÊTE PAS DE ME
TÂTER LE CRÂNE.

GRAT!
GRAT!

J'ATTRAPE UN MINI-
COUP DE SOLEIL...

QUI ME DONNE DES
MINIMIGRAINES...

ET ME PROVOQUE DES MINIFRISSONS.

BRRR...

EN POUSSETTE

ALLEZ, UN PEU D'AIR FRAIS À LA FIN DE LA JOURNÉE, ÇA VA NOUS FAIRE LE PLUS GRAND BIEN.

ADA!

LE QUARTIER OÙ NOUS HABITONS EST PAISIBLE, IL N'Y A PAS BEAUCOUP DE CIRCULATION.

HEUREUSEMENT, CAR LES TROTTOIRS SONT INEXISTANTS DANS CETTE PARTIE DE LA VILLE.

ADA!

OÙ ÇA?

LOUIS A DÉVELOPPÉ UNE FASCINATION POUR LES FLEURS.

FFFFLLLEUUURRR.

ADA!

CE QUE J'APPRÉCIE BEAUCOUP AVEC LA POUSSETTE, C'EST QUE JE PASSE PRATIQUEMENT INAPERÇU.

GRÂCE À LOUIS QUI FAIT CONVERGER VERS LUI TOUS LES REGARDS.

IL FAUT DIRE QU'IL EST PARTICULIÈREMENT MIGNON.

JE SAIS, JE SAIS, TOUS LES PARENTS DISENT ÇA.

MAIS LÀ, FORCE EST DE CONSTATER QUE C'EST LA VÉRITÉ.

REGARDEZ-MOI CETTE BOUILLE !

POUR LUI LA VIE EST TRANQUILLE, DE JOLIES BIRMANES SORTENT DE CHEZ ELLES POUR LUI DISTRIBUER SOURIRES ET BISOUS.

MAIS TOUTES CES DÉMONSTRATIONS LE LAISSENT DE MARBRE.

TU VERRAS, DANS UNE VINGTAINE D'ANNÉES ÇA SERA MOINS FACILE.

21

LE LONG DES RUES ON TROUVE DES CRUCHES ET DES GOBELETS MIS À LA DISPOSITION DES PASSANTS ASSOIFFÉS.

J'AI BEAU CREVER DE SOIF, IL FAUDRAIT ME PAYER CHER POUR QUE J'Y GOÛTE.

ADA.

PLUS LOIN, UNE AUTRE VOISINE TRAVERSE LA RUE POUR VENIR ADMIRER LE POUPON.

DE L'AUTRE CÔTÉ, SES SOEURS NOUS ENCOURAGENT À LES REJOINDRE.

2
2

BOY OR GIRL ?

BOY, IT'S A BOY !

BON SANG, IL EST GRAND TEMPS QUE JE LUI COUPE LES CHEVEUX À CELUI-LÀ.

LOUIS PASSE DE MAIN EN MAIN QUAND SOUDAIN LE PATRIARCHE APPARAÎT.

IL EST RAIDE COMME UNE STATUE. IL DOIT ÊTRE MALADE, EN TOUT CAS IL EST TRÈS MAIGRE.

IL A L'AIR CONTENT DE VOIR UN BÉBÉ OCCIDENTAL. ENFIN, JE CROIS.

BIEN QU'AYANT PARCOURU UNE TRÈS COURTE DISTANCE DE LA MAISON, J'ARRIVE À ME PERDRE.

JE TOURNE DANS LE QUARTIER JUSQU'À LA TOMBÉE DE LA NUIT.

BON, VOYONS VOIR... PAS DE PANIQUE. QUE FAIRE?

LE TERRAIN

POUR TERMINER LA PASSATION AVEC L'ANCIEN ADMINISTRATEUR, NADÈGE DOIT SE RENDRE SUR LE TERRAIN POUR VISITER UN DES DEUX PROJETS DE LA MISSION.

LE TRAJET EN BUS DURE TOUTE LA NUIT, ELLE RESTERA EN TOUT TROIS JOURS.

C'EST LA PREMIÈRE FOIS QU'ELLE QUITTE LOUIS DEPUIS SA NAISSANCE.

ET MOI, LA PREMIÈRE FOIS QUE JE VAIS RESTER AUSSI LONGTEMPS SEUL AVEC LUI.

UN BÉBÉ EXIGE UNE ATTENTION SOUTENUE TOUT AU LONG DE LA JOURNÉE. ET C'EST FOU DE VOIR COMMENT LE TEMPS SEMBLE SE RALENTIR QUAND IL S'ÉCOULE MINUTE PAR MINUTE.

PARFOIS J'EN ARRIVE À ME DIRE :

BON, CE TRUC DEVRAIT LE TENIR OCCUPÉ PENDANT AU MOINS 5 MINUTES. ÇA SERA TOUJOURS ÇA DE PASSÉ.

HEUREUSEMENT IL Y A LA SIESTE.

HA HA ! ON SE FROTTE LES YEUX, JE T'AI VU !

TIME

WHA

NON... DÉJÀ ?

CES JOURS-CI, LE NOUVEAU JEU DE LOUIS CONSISTE À FAIRE TOMBER DES PETITS OBJETS DANS LES ENDROITS LES PLUS INACCESSIBLES.

ET ENSUITE À LES RÉCLAMER AVEC INSISTANCE.

ADA!

A

ADA

ADA.

ADA

C'EST BON, J'ARRIVE.

ET PLUS JE PEINE À RÉCUPÉRER L'OBJET ET PLUS ÇA L'AMUSE.

BON, ON VA PEUT-ÊTRE PASSER À UN AUTRE JEU, MAINTENANT.

WHAA

D'ACCORD, D'ACCORD, MAIS APRÈS CETTE FOIS, C'EST FINI.

WHAA

BON. MAIS C'EST VRAIMENT LA DERNIÈRE FOIS, AUTREMENT JE VAIS PERDRE TOUTE CRÉDIBILITÉ, MOI.

NADÈGE ARRIVE TARD DANS LA NUIT. TROIS JOURS SANS AVOIR ALLAITÉ LUI CAUSE QUELQUES DOULEURS.

IL DORT ?

OUAIS.

AÏE.

MAIS PAR UN HEUREUX HASARD, IL SE RÉVEILLE JUSTE AU BON MOMENT.

WHAAA

HA HA !

AAAAAH OUF!

RZZZZZ

HOME
PRESQUE
SWEET
HOME

AUJOURD'HUI, DÉMÉNAGEMENT.

ON N'A TOUJOURS PAS TROUVÉ DE MAISON ALORS, EN ATTENDANT, ON VA OCCUPER LA CHAMBRE DE L'ANCIEN ADMINISTRATEUR QUI EST REPARTI CHEZ LUI, EN FRANCE.

ON HABITERA CHEZ LE CHEF DE MISSION, ASIS, QUI ACCUEILLAIT DÉJÀ PIERRE, UN LOGISTICIEN. IL ARRIVE TOUT JUSTE D'UNE MISSION D'URGENCE AU SRI LANKA À LA SUITE DU TERRIBLE TSUNAMI DE DÉCEMBRE.

PFF... QUEL BORDEL...

ASIS, COMME À PEU PRÈS TOUS LES DOCTEURS DE MSF QUE J'AI CROISÉS, FUME UN PAQUET DE CLOPES PAR JOUR.

ET PIERRE PROBABLEMENT PLUS.

2
7

ENFIN, ÇA SERA TOUJOURS PLUS CONFORTABLE QUE LA "GUEST HOUSE".

ZUT, LE LIT EST SUPER DUR.

TIENS, Y'A UN BUREAU DANS LA CHAMBRE. JE VAIS PEUT-ÊTRE POUVOIR ME REMETTRE AU BOULOT.

JE VEUX BIEN ESSAYER D'ÊTRE HOMME AU FOYER POUR UN TEMPS MAIS L'ENVIE DE DESSINER COMMENCE DÉJÀ À SE FAIRE SENTIR.

DURANT LA JOURNÉE, JE ME RETROUVE AVEC SENG NAN, LA FEMME DE MÉNAGE, QUI, PETIT À PETIT, DEVIENDRA LA NOUNOU DE LOUIS.

ET MAUNG AYE, NOTRE GARDIEN QUI N'A PAS GRAND-CHOSE À GARDER DANS UN PAYS ARCHITRANQUILLE COMME LA BIRMANIE. ENFIN, TRANQUILLE CÔTÉ CAMBRIOLAGE, JE VEUX DIRE.

28

MAUNG AYE, COMME UN BON PAQUET DE BIRMANS, EST UN ADEPTE DU BÉTEL. IL EN CHIQUE DU MATIN JUSQU'AU SOIR.

QUAND IL NOUS GRATIFIE D'UN SOURIRE, C'EST DE TOUTE BEAUTÉ. SES DENTS SONT TELLEMENT ROUGIES PAR LE JUS DE BÉTEL QU'ELLES SONT PRATIQUEMENT NOIRES.

EN FAIT, POUR ÊTRE PLUS PRÉCIS, ELLES SONT NOIRES DU CÔTÉ OÙ IL CHIQUE ET ÇA SE DÉGRADE JUSQU'AU ROUGE CERISE EN PASSANT DE L'AUTRE CÔTÉ.

ET DU COUP, ÇA FAIT RESSORTIR LE ROSE PÂLE DES GENCIVES.

MMM... LES DENTS NOIRES, JE ME DEMANDE SI ÇA MARCHE POUR DRAGUER LES FILLES ?

ENFIN, C'EST UN GARÇON TRÈS AFFEC-TUEUX AVEC LES ENFANTS ET C'EST TOUT CE QUE RETIENT LOUIS.

C'EST PAS COMPLIQUÉ LES BÉBÉS.

ADA.

ADA.

2/9

LES BIRMANS ADORENT LES ENFANTS. ET AVEC MAUNG AYE COMME COPAIN, LOUIS A RAPIDEMENT FAIT LA CONNAISSANCE DE TOUT LE QUARTIER, TRÈS CURIEUX DE VOIR DE PRÈS CE BÉBÉ À LA PEAU BLANCHE.

C'EST AINSI QU'UN JOUR DE BALADE...

LOUIS!

LOUIS!

C'EST QUI CELLE-LÀ ? JE LA CON- NAIS PAS...

LOUIS!

LOUIS!

LOUIS!

LOUIS!

EH BEN! DIS DONC, QUELLE POPULARITÉ!

PARMI LE VOISINAGE, IL Y A CE VIEUX MONSIEUR SOURIANT QUI S'ÉVERTUE À FAIRE DIRE BONJOUR EN BIRMAN À LOUIS.

MIN

GA

LA

BA.

MAIS PAR CONTRE, QUAND JE LE CROISE ET QUE JE SUIS SEUL, IL M'IGNORE COMPLÈTEMENT.

MING'LABA!

JE TROUVE ÇA ASSEZ VEXANT, MERCI.

30

LA PRIX
NOBEL

C'EST DÉMENT TOUT CE TRAFIC JUSTE EN FACE DE LA MAISON. DANS UNE SI PETITE RUE, IL Y A DES GROS BUS QUI PASSENT À TOUT VITESSE.

C'EST PARCE QUE LA ROUTE PRINCIPALE EST BLOQUÉE PLUS HAUT AU NIVEAU DE LA MAISON D'AUNG SAN SUU KYI. ALORS, ILS FONT LE DÉTOUR.

ELLE HABITE JUSTE À CÔTÉ ?

AU BOUT DE LA RUE ET PUIS À DROITE, C'EST À DEUX PAS.

INCROYABLE, UN PRIX NOBEL DE LA PAIX, JUSTE AU COIN DE LA RUE.

QUOI QU'À BIEN Y RÉFLÉCHIR MSF AUSSI A REÇU LE NOBEL DE LA PAIX. EN 99.

ÇA EN FAIT DEUX PRESQUE VOISINS.

C'EST RARE, ÇA.

31

ALORS, VOYONS VOIR, AU BOUT DE LA RUE ET À DROITE.

AH OUI, C'EST LÀ-BAS. IL Y A UN "CHECK POINT" ET, DU COUP, LES VOITURES TOURNENT DANS NOTRE RUE AU LIEU DE CONTINUER TOUT DROIT.

TRANSFORMANT AINSI NOTRE PETITE RUE TRANQUILLE EN UN DANGEREUX BOULEVARD.

ET TOUT ÇA C'EST À CAUSE D'AUNG SAN SUU KYI.

PFF... MERCI BEAUCOUP !

BON. ALLONS-Y BABY.

ADA !

JE PEUX PAS CROIRE QU'ILS EMPÊCHERONT DE PASSER UN INNOCENT PÈRE DE FAMILLE AVEC SON FILS.

J'AI BIEN ESSAYÉ DE LES EMBROUILLER EN JOUANT AU CON ET EN FAISANT SEMBLANT DE RIEN COMPRENDRE MAIS, PEINE PERDUE, NOUS NE POURRONS PAS JETER DE COUP D'ŒIL À LA MAISON DE LA PLUS CÉLÈBRE PRISONNIÈRE POLITIQUE AU MONDE.

EN FAIT, ELLE EST PAS VRAIMENT PRISONNIÈRE. ELLE NE PEUT PAS QUITTER SA MAISON MAIS ELLE PEUT QUITTER LE PAYS QUAND ELLE LE VEUT. MAIS ELLE CHOISIT DE RESTER ET DE RÉSISTER, PAR SA SEULE PRÉSENCE, À UN DES RÉGIMES LES PLUS OPPRESSIFS DE LA PLANÈTE.

DE RETOUR AU PAYS EN 1988, ELLE S'EST RETROUVÉE AU PREMIER RANG DE LA CONTESTATION AVEC SON PARTI, LA LND (LIGUE NATIONALE POUR LA DÉMOCRATIE). ASSIGNÉE À RÉSIDENCE, ELLE A NÉANMOINS REMPORTÉ LES ÉLECTIONS À PLUS DE 80% DES VOIX MAIS SANS POUR CELA QUE LES GÉNÉRAUX LUI CÈDENT LA PLACE. AU CONTRAIRE, LA RÉPRESSION S'EST INTENSIFIÉE ET NOTAMMENT POUR LES MEMBRES DE SON PARTI.

DEPUIS, ELLE A PASSÉ LA PLUS GRANDE PARTIE DES QUINZES DERNIÈRES ANNÉES RÉDUITE AU SILENCE. ELLE VIT SANS JOURNAUX, SANS TÉLÉ, SANS INTERNET, SEUL UN POSTE DE RADIO LUI PERMET DE SE TENIR INFORMÉE. AUJOURD'HUI À SOIXANTE ANS, DEUX EMPLOYÉS L'AIDENT AUX TÂCHES QUOTIDIENNES ET UNE FOIS PAR MOIS, UN MÉDECIN EST AUTORISÉ À PASSER POUR UNE CONSULTATION.

ENFIN, POUR COUPER COURT À MA VAINE TENTATIVE, ON ME DEMANDE:

ÊTES-VOUS UN ÉTRANGER?

EUH... EH BIEN MA FOI...

... OUI, J'EN SUIS UN.

ALORS VOUS NE PASSEREZ PAS.

BON.

ZUT ALORS! SI J'AVAIS L'AIR UN PEU PLUS BIRMAN, MOI AUSSI JE POURRAIS ALLER VOIR DE L'AUTRE CÔTÉ.

MAIS TIENS, ÇA ME DONNE UNE IDÉE.

JE POURRAIS REVENIR COMME ÇA TOUS LES JOURS POUR ESSAYER DE PASSER.

ÉVIDEMMENT, JE ME FERAIS REFOULER PAR LES MILITAIRES MAIS JE REVIENDRAIS INEXORABLEMENT LE LENDEMAIN, TOUJOURS À LA MÊME HEURE.

JOURS, SEMAINES, MOIS, MA DÉTERMINATION SERAIT SANS FAILLE. ET PETIT À PETIT MON ACHARNEMENT COMMENCERAIT À DÉRANGER LES AUTORITÉS.

LES HABITANTS DE RANGOUN ENTENDRAIENT PARLER DE MOI, DE CET ÉTRANGER TÊTU QU'ON EMPÊCHE DE PASSER VOIR LA MAISON D'AUNG SAN SUU KYI.

3/4

D'AUTRES PERSONNES SE JOINDRAIENT À MOI ET TOUTE CETTE MASSE DE GENS COMMENCERAIT À PRENDRE DES ALLURES DE SOULÈVEMENT SILENCIEUX ET NON VIOLENT.

LES AUTORITÉS PRISES DE PANIQUE ET COMPLÈTEMENT DÉPASSÉES DEVANT L'AMPLEUR DU MOUVEMENT ESSAIERAIENT DE NOUS EMPÊCHER L'ACCÈS AU "CHECK POINT".

MAIS DEVANT LE RIDICULE DE LA SITUATION ET SURTOUT LES PRESSIONS INTERNATIONALES, LA JUNTE CHOISIRAIT DE FAIRE VOLTE-FACE ET DE ME LAISSER PASSER SANS CRIER GARE, À LA STUPEUR GÉNÉRALE.

VICTORIEUX, JE MARCHERAIS D'UN PAS CALME VERS LA MAISON D'AUNG SAN, ET UNE FOIS À SA HAUTEUR, JE LUI FERAIS UN PETIT COUCOU COMPLICE DE LA MAIN POUR L'ENCOURAGER DANS SON COMBAT.

COUCOU.

C'EST DÉCIDÉ, DEMAIN J'Y RETOURNE.

ON VERRA CE QU'ON VERRA.

LE LENDEMAIN À LA MÊME HEURE.

ANNIVERSAIRE

AUJOURD'HUI, L'ASSISTANT DU CHEF DE MISSION FÊTE LE PREMIER ANNIVERSAIRE DE SON FILS ET NOUS SOMMES INVITÉS.

SUPER, ON VA VISITER UN INTÉRIEUR BIRMAN.

À CETTE OCCASION, IL DÉVOILERA LE NOM RÉEL DE SON FILS. CAR JUSQU'ICI TOUT LE MONDE UTILISAIT LE SURNOM QUE SES PARENTS LUI AVAIENT CHOISI D'APRÈS UN SON QU'IL ÉMETTAIT PEU DE TEMPS APRÈS SA NAISSANCE.

AGOU!

AGOU!

C'EST LA FAÇON GÉNÉRALE DE PROCÉDER DES BIRMANS. D'ABORD LE SURNOM ET ENSUITE LE NOM. ET PLUS SOUVENT, C'EST LE SURNOM QUI RESTERA PAR LA SUITE.

ILS HABITENT UN APPARTEMENT DANS UN QUARTIER POPULAIRE.

SUPER.

HÉ ! T'AS VU LE SYSTÈME DE SONNETTES QU'ILS ONT BRICOLÉ ? C'EST SUPER.

ILS DOIVENT FONCTIONNER COMME ÇA PARCE QUE DANS CE QUARTIER ILS ONT PARFOIS PAS PLUS DE 2 HEURES D'ÉLECTRICITÉ PAR JOUR.

ÇA C'EST MOINS SUPER.

REMARQUE, Y'A DES CÔTÉS PRATIQUES. AU LIEU DE DESCENDRE CHERCHER LE JOURNAL...

... ON LE HISSE JUSQU'À DESTINATION.

EH HOP !

HÉ, T'AS VU QU'À CHAQUE ÉTAGE LES GENS ONT CRACHÉ LEUR JUS DE BÉTEL DANS LES COINS DE MURS ?

ÇA LAISSE DES GRANDES TRACES MARRON.

HÉ, T'AS VU, AU 5ᵉ ? QUELQU'UN A MIS UNE PETITE POUBELLE POUR ÉVITER CE GENRE DE DÉCORATION.

BEUH !

MMM... C'EST À MOITIÉ PLEIN ! HÉ, T'EN VEUX ? IL EN RESTE.

BEURK, ARRÊTE, T'ES DÉGUEULASSE !

SLURP ! T'AS TORT C'EST SLURP ! VACHEMENT BON !

AAH !

37

ON ARRIVE CHEZ NOTRE HÔTE PILE À L'HEURE CONVENUE. IL Y A DÉJÀ DES GENS ATTABLÉS PAR TERRE QUI MANGENT.

ALORS, C'EST QUOI LE NOUVEAU NOM DU BÉBÉ ?

JE SAIS PAS, J'AI PAS BIEN COMPRIS.

UN GROUPE DE GENS NOUS QUITTE, UN AUTRE ARRIVE. LES TABLES SE VIDENT ET SE REMPLISSENT AVEC RÉGULARITÉ.

BON, ON VA PEUT-ÊTRE PAS TRAÎNER. Y'EN A D'AUTRES QUI ARRIVENT.

TOUT CELA EST RONDEMENT MENÉ. ON EST DE RETOUR À LA VOITURE À PEINE PLUS D'UNE HEURE APRÈS NOTRE ARRIVÉE.

ON N'AVAIT PAS PRÉVU QUE ÇA IRAIT SI VITE.

BON, QU'EST-CE QU'ON FAIT ?

JE SAIS PAS, ON SE VISITE UNE PAGODE ?

ENCORE UNE PAGODE ?

38

REDÉMARRER LA MACHINE

ON A FINALEMENT VISITÉ UNE MAISON PAS MAL DU TOUT MAIS TROP PETITE POUR UN COUPLE AVEC UN ENFANT.

ASIS NOUS PROPOSE DE S'Y INSTALLER ET DE NOUS LAISSER SA MAISON.

JE DOIS AVOUER QUE JE SUIS ÉPATÉ. IL Y A TOUTES SORTES DE CHEFS DE MISSION. ON EN A DÉJÀ CROISÉ DANS D'AUTRES PAYS ET C'ÉTAIT PAS DU TOUT LE GENRE À NOUS LAISSER LEUR BARAQUE. AU CONTRAIRE.

ASIS FAIT PARTIE DE CEUX POUR QUI L'ENGAGEMENT HUMANITAIRE NE S'ARRÊTE PAS UNE FOIS QUE LA PORTE DE SON BUREAU EST FRANCHIE.

ON RÉCUPÈRE AUSSI SA TÉLÉ ET L'ANTENNE PARABOLIQUE QUI VA AVEC.

ZUT, Y'A PAS STAR TREK.

J'ACHÈTE UNE TABLE, J'AMÉNAGE UN COIN DE LA CHAMBRE ET JE ME REMETS À MES ACTIVITÉS BÉDÉESQUES.

FORT HEUREUSEMENT CETTE PIÈCE POSSÈDE UNE DEUXIÈME PORTE QUI DONNE SUR L'EXTÉRIEUR.

SALON

CHAMBRE

CE QUI ME PERMET, LE MATIN, DE DONNER L'IMPRESSION DE PARTIR AU BOULOT.

À PLUS TARD! PAPA S'EN VA TRAVAILLER.

AH LÀ LÀ! QUAND JE PENSE À CEUX QUI PASSENT DES HEURES DANS LE MÉTRO.

PAR CONTRE DANS LE MÉTRO ON RISQUE PAS DE MARCHER SUR UN SERPENT.

DOC IN SITU

ZUT! J'ARRIVE PLUS À ME RAPPELER COMMENT C'EST FAIT, CE GENRE DE CONSTRUCTION.

VOYONS VOIR...

HA HA! REGARDE-MOI CETTE HORREUR. C'EST TOUT À FAIT CE DONT J'AI BESOIN. LES GROSSES COLONNES ET TOUT LE BAZAR.

CLIC

BONJOUR, JE SUIS ÉTUDIANT EN ARCHITECTURE. ET JE TENAIS À CONSERVER UN SOUVENIR DE VOTRE MAGNIFIQUE DEMEURE.

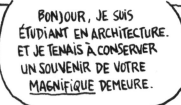

4

SACRÉ
PABLO

PENDANT QUE JE TRAVAILLE, C'EST SENG NAN QUI S'OCCUPE DE LOUIS ET DE LA MAISON.

SENG NAN EST KACHINE, UNE DES TROIS PLUS IMPORTANTES ETHNIES DU PAYS. LEUR TERRITOIRE SE SITUE À L'EXTRÊME NORD, ENTRE L'INDE ET LA CHINE.

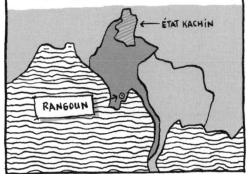

← ÉTAT KACHIN

RANGOUN

ELLE PARLE PLUSIEURS LANGUES: LE KACHIN, LE BIRMAN ET UN PEU L'ANGLAIS.

SHE SLEEPING.

HE SLEEPING.

UN ANGLAIS PLUS QU'APPROXIMATIF, IL FAUT DIRE. PAR EXEMPLE, ELLE CONFOND LE FÉMININ ET LE MASCULIN QUAND ELLE PARLE DE LOUIS.

SHE VERY TIRED.

HE VERY TIRED.

ET ÇA A TENDANCE À M'AGACER VU QUE JE VIENS DE LUI COUPER LES CHEVEUX ET QUE LA CONFUSION N'EST PLUS POSSIBLE.

BON SANG, JE VAIS UTILISER LE PATIN DE 9mm AU LIEU DU 13mm LA PROCHAINE FOIS.

AH NON, C'EST PAS VRAI ! ELLE A ENCORE RANGÉ MON BUREAU.

J'AI POURTANT BEAU LUI DIRE DE NE RIEN TOUCHER, C'EST PLUS FORT QU'ELLE, TOUS LES JOURS ELLE REMET DE L'ORDRE DANS MES AFFAIRES.

UN JOUR, J'AI RETROUVÉ MA BOUTEILLE D'ENCRE À L'ENVERS SUR LA PAGE QUE JE VENAIS DE FINIR.

HAAAAAA...

JE VAIS FINIR PAR FAIRE COMME FAISAIT PICASSO.

ACCÈS INTERDIT EN TOUT TEMPS

ET LA POUSSIÈRE S'ACCUMULERA PENDANT DES ANNÉES.

ATCHA !

ATCHA !

ET POUR M'INTERROMPRE, MA FEMME GLISSERA UNE NOTE SOUS LA PORTE.

Chéri,
il y a Jean Cocteau qui est venu nous dire bonjour.
mm

43

AH ! QUEL EM-MERDEUR, CELUI-LÀ.

PETIT
VÉHICULE

CHAQUE MATIN VERS 8 HEURES, UN TYPE PASSE DEVANT LA MAISON EN TAPANT SUR UNE CLOCHE.

IL EST SUIVI DE PRÈS PAR UNE DIZAINE DE MOINES NOVICES MARCHANT PIEDS NUS QUI RECUEILLENT DES OFFRANDES AUPRÈS DU VOISINAGE.

ILS ONT CHACUN UN BOL POUR LE RIZ.

LES AUTRES FORMES DE NOURRITURE SONT PRISES EN CHARGE PAR UN CIVIL QUI POUSSE UNE PETITE CANTINE ET FERME LA MARCHE.

ET PAR UNE NUIT D'INSOMNIE, J'AI PU DÉCOUVRIR QU'ILS PASSAIENT ÉGALEMENT À 4 HEURES ET À 6 HEURES DU MATIN.

44

ON COMPREND MIEUX POURQUOI ILS SE LÈVENT TÔT QUAND ON SAIT QU'ILS NE DOIVENT PLUS RIEN MANGER PASSÉ MIDI.

POUR LES BOUDDHISTES (87% DE LA POPULATION), UN PREMIER SÉJOUR AU MONASTÈRE S'EFFECTUE VERS L'ÂGE DE 10 ANS. EN GÉNÉRAL, ILS Y RETOURNENT À L'ÂGE ADULTE POUR UNE PLUS LONGUE PÉRIODE.

DING! DING!

OH! C'EST LES PETITS MOINES. ON VA ALLER LEUR DONNER DU RIZ.

DING.

MINGALABA!

MINGALABA!

MINGALABA!

PRATIQUEMENT TOUS MES VOISINS SONT AU RENDEZ-VOUS.

À VOIR LA TAILLE DES BOLS ET LA QUANTITÉ DE RIZ QUI S'Y TROUVE, ON RÉALISE L'ÉTENDUE DE LA GÉNÉROSITÉ DES GENS.

IL NE S'AGIT AUCUNEMENT DE MENDICITÉ. IL EST CONSIDÉRÉ COMME UN GRAND HONNEUR DE DONNER AUX MOINES.

LES DONS AUGMENTENT LE NOMBRE DE MÉRITES ET LES MÉRITES ALLÉGE-RONT LE KHARMA DE LA PROCHAINE VIE.

IL Y A AINSI DE NOMBREUSES FAÇONS D'OBTENIR DES MÉRITES : FAIRE DES OFFRANDES AU TEMPLE, ENTRETENIR UNE PAGODE OU ENCORE MIEUX, EN CONSTRUIRE UNE.

CE QUE FIT NE WIN, LE PREMIER D'UNE LONGUE LIGNÉE DE GÉNÉRAUX AYANT DIRIGÉ LE PAYS D'UNE MAIN DE FER DEPUIS 1962.

APRÈS AVOIR OPPRIMÉ LA POPULATION DURANT TOUTE UNE VIE, IL VOULAIT ÉVITER DE REVENIR LORS DE LA PROCHAINE SOUS LA FORME D'UN RAT OU D'UNE GRENOUILLE.

VOILÀ ! C'ÉTAIT BIEN, NON ?

ILS SONT PAS MIGNONS TOUS CES PETITS MOINES ?

DORÉNAVANT, ON VA SORTIR LEUR DONNER DU RIZ TOUS LES MATINS.

LE LENDEMAIN À LA MÊME HEURE.

RZZ !

LES BIRMANS PRATIQUENT LE BOUDDHISME THERAVÂDA QUI S'APPUIE SUR LES PLUS ANCIENS ÉCRITS RECUEILLIS PAR LES DISCIPLES DU BOUDDHA. DE CE FAIT, ILS CONSIDÈRENT LEUR DOCTRINE COMME ÉTANT LA PLUS PRÈS DE LA VÉRITÉ, LA PLUS PURE.

DANS LE THERAVÂDA, BOUDDHA N'EST PAS UN DIEU, C'EST UN HOMME QUI A ATTEINT L'ILLUMINATION, IL NE SERT À RIEN DE LE PRIER, IL NE PROTÈGE PERSONNE.

C'EST À CHACUN D'OEUVRER À SON SALUT, EN DEVENANT MOINE OU EN ADOPTANT LE MODE MONASTIQUE ET SES NOMBREUX PRÉCEPTES.

ET C'EST PARCE QU'IL PROPOSE UN CHEMIN VERS LE NIRVANA TRÈS CONTRAIGNANT ET ACCESSIBLE À UN PETIT NOMBRE QU'ON A QUALIFIÉ LE THERAVÂDA DE "PETIT VÉHICULE".

MAHĀYĀNA

THERAVÂDA

LAOS
SRI LANKA
THAÏLANDE

INDE
CHINE
CORÉE
VIETNAM

AH, BON SANG! ATTEINDRE LE NIRVANA ÇA DOIT ÊTRE QUELQUE CHOSE.

IL FAUDRAIT QUE JE M'Y METTE UN DE CES QUATRE.

PRÈS DE LA MAISON, IL Y A UN DE CES CENTRES QUI ACCUEILLE PRINCIPALEMENT LES ÉTRANGERS.

INTERNATIONAL MÉDITATION CENTER

VOYONS VOIR.

JE ME SUIS INFORMÉ, MAIS COMME IL FAUT S'ENGAGER SUR 10 JOURS POUR UN STAGE DE MÉDITATION, J'AI BATTU EN RETRAITE.

TOURISME
À
BAGAN

MÉDECINS SANS FRONTIÈRES

TROIS SECTIONS DE MSF TRAVAILLENT EN BIRMANIE : MSF-HOLLANDE, MSF-SUISSE, ET CELLE AVEC LAQUELLE JE SUIS VENU ICI, MSF-FRANCE.

CHACUNE DE CES SECTIONS TRAVAILLE DANS PLUSIEURS RÉGIONS DU PAYS SUR DES PROJETS MÉDICAUX TRÈS VARIÉS.

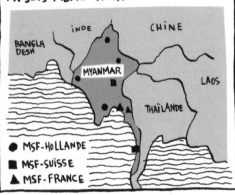

SIDA, TUBERCULOSE, PREMIERS SOINS, SOUTIEN À DES STRUCTURES DE SANTÉ DÉJÀ EXISTANTES, MALARIA, ETC.

MSF-FRANCE TRAVAILLE À L'EST DU PAYS, DANS DEUX ÉTATS PRÈS DE LA FRONTIÈRE THAÏLANDAISE, LE MÔN ET LE KAREN.

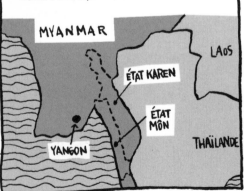

DEUX RÉGIONS POLITIQUEMENT SENSIBLES OÙ SE TROUVENT DES GROUPES ARMÉS INDÉPENDANTS QUI CONTRÔLENT PLUSIEURS ZONES.

À L'INTÉRIEUR DE CES ZONES OÙ N'EXISTE PAS DE SYSTÈME DE SANTÉ, LA POPULATION EST LIVRÉE À ELLE-MÊME, SANS AVOIR ACCÈS À DES MÉDICAMENTS ET SANS AVOIR LA POSSIBILITÉ DE CONSULTER UN MÉDECIN. ET C'EST CETTE POPULATION POLITIQUEMENT DISCRIMINÉE QUE MSF CHERCHE À ATTEINDRE EN PROPOSANT AU GOUVERNEMENT UN PROGRAMME POUR TRAITER LA MALARIA, PRINCIPALE CAUSE DE DÉCÈS DANS LA RÉGION ET DANS LE PAYS EN GÉNÉRAL.

UNE PROPOSITION POUR OUVRIR UNE CLINIQUE DANS UN VILLAGE PASSE PAR UNE TRIPOTÉE DE DÉCIDEURS.

MSF

① AUTORISATION POUR S'Y RENDRE → MINISTRE DE LA SANTÉ → MINISTRE DE ??? → MINISTRE DE ??? → MINISTRE DE ??? → MINISTRE DE LA DÉFENSE

IMMIGRATION → POLICE → ARMÉE

BON, PFF... D'ACCORD.

② AUTORISATION POUR Y TRAVAILLER → DÉPARTEMENT DE LA SANTÉ. → SPDC → COMMANDANT DU SUD EST

DE 2001 À 2004, MSF ARRIVE PROGRESSIVEMENT À S'IMPLANTER VERS LES ZONES RECULÉES AVEC LES ACCORDS DES POUVOIRS NATIONAUX ET LOCAUX.

VILLE

VILLAGE

ZONE ÉLOIGNÉE

CLINIQUE MOBILE

CLINIQUE FIXE

SOUTIEN À UN HÔPITAL

POPULATION CIBLÉE

APRÈS AVOIR PASSÉ TOUTE LA JOURNÉE À LA MAISON AVEC LOUIS, LE SOIR, JE PROFITE DE TOUTES LES OCCASIONS POUR ME CHANGER LES IDÉES.

FORCÉMENT, AVEC UNE COMPAGNE CHEZ MSF, NOTRE CERCLE DE CONNAISSANCES COMPREND BEAUCOUP DE GENS VENANT D'AUTRES O.N.G.

C'EST DONC RÉGULIÈREMENT QUE JE ME SUIS RETROUVÉ AU MILIEU DE TOUTES CES PASSION-NANTES QUESTIONS QUI ANIMENT LES DÉBATS DU MOUVEMENT HUMANITAIRE.

MOI, J'AI PAS GRAND-CHOSE À DIRE. AVEC MES ACTIVITÉS DOMESTIQUES, JE ME SENS LÉGÈ-REMENT EN DÉCALAGE.

LA SEULE INFO QUE J'AURAIS À PARTAGER, C'EST QU'ILS ONT REÇU DES NOUVELLES COUCHES JAPONAISES AU CITY MART.

TOUS
DROITS
RÉSERVÉS

ဟွန်းမတီးရ*

* DÉFENSE DE KLAXONNER EN VILLE.

À NOTRE ARRIVÉE, IL EXISTAIT UN MARCHÉ FLORISSANT DE FILMS DVD PIRATÉS. ON TROUVAIT DE TOUS LES GENRES POUR LE PRIX D'UN CAFÉ.

MATRIX

SPIDERMAN

NE

KUROSAWA

BERGMAN

W. ALLEN

ON A, PAR EXEMPLE, RÉUSSI À REGARDER LE DERNIER STAR WARS LA SEMAINE MÊME DE SA SORTIE EN SALLE.

ILS ONT UNE DRÔLE DE TÊTE, NON ?

J'AI L'IMPRESSION QU'ILS ONT FILMÉ ÇA AVEC UN TÉLÉPHONE PORTABLE.

TOUTE CETTE MANNE NOUS ARRIVAIT DE CHINE ET DE THAÏLANDE OÙ LES POCHETTES SONT RECOPIÉES TANT BIEN QUE MAL.

"LA VACHE ET LE PRISONNIER" AVEC FERNONDEL. HA HA !

GAGNANT DE 2 OSCARS ? AH BON ? ... C'EST NOUVEAU, ÇA.

LE PLUS DRÔLE, C'EST QU'ILS VONT JUSQU'À METTRE LES MENTIONS LÉGALES.

"CE DVD EST PROTÉGÉ CONTRE LA COPIE". SANS BLAGUE !

"TOUS DRAILS DE REPRODUCTION ET D'EXPLOITAION RESERVES. PROJECTION DECE VIDEOGRAMME EN SEANCE PUBLIQUE. AVEC OU SANS PANCEPTION DE DRAIT D'ENTREE".

AH, QUELLE POÉSIE !

MAIS AUJOURD'HUI TOUT CELA EST TERMINÉ CAR HIER SOIR LE GOUVERNEMENT A DÉCIDÉ D'INTERDIR LA VENTE DE FILMS ÉTRANGERS. ET CE MATIN, ON NE TROUVE PLUS RIEN.

HOU LÀ LÀ, C'EST RADICAL.

Y'A PLUS QUE DES FILMS BIRMANS TOURNÉS EN 5 JOURS AVEC UNE CAMÉRA VIDÉO. TU VEUX ESSAYER ?

Y'A DES SOUS-TITRES ?

ÇA M'ÉTON- NERAIT.

POUR LES NOUVEAUTÉS, ON SE RABAT SUR CEUX QUI ARRIVENT DE BANGKOK OÙ LES FILMS PIRATES SONT ÉGALEMENT INTERDITS, MAIS ON ARRIVE PLUS DIFFICILEMENT À FAIRE RESPECTER CE GENRE DE LOI DANS LES PAYS VOISINS.

C'EST QUOI C'TE MERDE ENCORE ?

ALORS QU'ICI, SOUS LA JUNTE MILITAIRE, ON OBÉIT SANS POSER DE QUESTIONS.

ET ALORS, POURQUOI ILS INTERDISENT LES FILMS ÉTRANGERS MAINTENANT ?

AUCUNE IDÉE.

"LES FILMS ÉTRANGERS ENCOURAGENT LES AGRESSIONS SEXUELLES."

← NEW LIGHT OF MYANMAR

AH OUI, C'EST EMBÊTANT, ÇA.

IL Y A BIEN EU UN COMMUNIQUÉ OFFICIEL, MAIS PERSONNE N'EST DUPE ET ÇA SPÉCULE DANS TOUS LES SENS SUR LES VRAIS RAISONS.

C'EST POUR NOUS ISOLER ENCORE PLUS.

MOI JE PARIE QUE LE GOUVERNEMENT VEUT RÉCUPÉRER LE MARCHÉ.

C'EST COMME POUR LES MOTOS QUI SONT IN-
TERDITES EN VILLE, CHACUN Y VA DE SON
EXPLICATION.

...TOUT LE MONDE CROIT
QUE C'EST POUR ÇA, MAIS
MOI JE CONNAIS LA
VRAIE RAISON...

EH BIEN
...

MMM
...

AH
OUAIS
?

IL Y A LA VERSION, PLUS OU MOINS OFFICIELLE,
QUE C'EST TOUT SIMPLEMENT TROP DANGEREUX.

N'IMPORTE
QUOI.

DANGEREUX
POUR QUI ?

IL Y A CELLE OÙ UN MOTARD DÉPASSANT
LA VOITURE DU N°1 L'AURAIT MENACÉ DU
DOIGT EN SIMULANT UN PISTOLET.

BANG !

ET IL Y A CELLE D'UN MOTARD QUI AURAIT
LANCÉ UNE BOMBE DEVANT UN HÔTEL ET COMME
IL S'AGISSAIT D'UNE "ENFEILD", IMPOSSIBLE DE
LE RATTRAPER AVEC LES PETITS VÉHICULES
DE LA POLICE.

QUAND JE PENSE QU'À L'ÉPOQUE IL Y AVAIT
DES MOTOS COMME ÇA DANS LES RUES
DE LA VILLE ...

ROYAL ENFIELD BULLET 1950

C'ÉTAIT AUSSI L'ÉPOQUE OÙ LA VITALITÉ
DU CINÉMA BIRMAN FAISAIT PÂLIR
D'ENVIE TOUS SES VOISINS.

RANGOUN

BOMBAY

HONG KONG

LE GUIDE DU MAUVAIS PÈRE

ENCRE
DE
CHINE

MERDE...
PU D'ENCRE !

PAGE
32

J'AVAIS POURTANT PRIS SOIN D'EN METTRE
DEUX BOUTEILLES DANS MES VALISES MAIS ELLES
ONT MYSTÉRIEUSEMENT DISPARU DANS LA
PREMIÈRE MAISON.

¡INTROUVABLE!

DIEU SEUL SAIT OÙ CES DEUX
BOUTEILLES D'ENCRE DE CHINE
SE TROUVENT AUJOURD'HUI.

C'EST LÀ...
...LÀ !

JE CHERCHE DANS LES PAPETERIES DU
QUARTIER MAIS JE NE TROUVE QUE DE L'ENCRE
POUR STYLOS À PLUME QUI VA BAVER, C'EST
COURU D'AVANCE.

ÇA MARCHERA
JAMAIS.

4000
KYATS.

ÇA
MARCHE
PAS.

JE
SAVAIS.

UN AMI BIRMAN M'INDIQUE UN MAGASIN EN VILLE OÙ JE DEVRAIS TROUVER CE QUE JE CHERCHE.

32 STREET PLIZE.

HÉRITAGE DE L'ÉPOQUE COLONIALE ANGLAISE, LES RUES DU CENTRE-VILLE SONT TOUTES À ANGLE DROIT. C'EST PAS TRÈS JOLI MAIS C'EST BIEN PRATIQUE.

STOP PLIZE.

MAIS DANS LA 32e RUE, IL N'Y A PAS L'OMBRE D'UNE BOUTEILLE D'ENCRE DE CHINE. C'EST ASSEZ CURIEUX CAR TOUS LES COMMERÇANTS NE VENDENT QUE DU PAPIER, IL Y EN A DES PILES DEVANT CHAQUE BOUTIQUE.

ZUT! DOMMAGE QUE JE CHERCHE PAS DU PAPIER.

APRÈS LA RUE DES LECTEURS DVD ET CELLE DES PHOTOCOPIEUSES, JE TROUVE CELLE AVEC LES ENCRES.

BON SANG. J'ESPÈRE QU'ILS ONT DES FORMATS PLUS PRATIQUES À TRANSPORTER.

C'EST POUR L'IMPRIMERIE, ÇA?

À L'INTÉRIEUR, ON ME PROPOSE DEUX TYPES D'ENCRE DE CHINE DONT UNE PLUTÔT ÉPAISSE.

ET C'EST QUOI LA DIFFÉRENCE ENTRE LES DEUX ?

3000 KYATS!

OUI, MAIS JE VOULAIS DIRE AU NIVEAU DE LA QUALITÉ.

DANS UN COIN POUSSIÉREUX, JE DÉCOUVRE DE VIEILLES PLUMES ANGLAISES.

2040 HINKS WELLES & Cº RED INK PEN ENGLAND

HÉ HÉ... C'EST UN VOYAGE DANS LE TEMPS, CETTE BOUTIQUE.

OH! JOIE.

JE TROUVE DE LA "ROTRING" QUI DOIT ATTENDRE ICI DEPUIS DES ANNÉES CAR SELON LA DATE D'EXPIRATION IL NE RESTE PLUS QU'UN MOIS POUR S'EN SERVIR.

MMM... ÇA DEVRAIT SUFFIRE POUR TERMINER MON ALBUM.

VOILÀ. APRÈS UNE SEMAINE DE RECHERCHE, MISSION ACCOMPLIE.

ET LES JOURS SUIVANTS, COMME SI LA VILLE ENTIÈRE S'ÉTAIT DONNÉ LE MOT, J'EN VOIS PARTOUT: AU COIN DE LA RUE, AU SUPER-MARCHÉ, ETC.

ENCRE 'ROTRING' →

RAAAAH!... QU'EST-CE QUE ÇA PEUT M'ÉNERVER.

PROFITONS-EN POUR REPARTIR À NEUF.

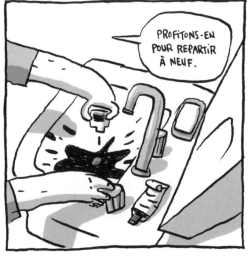

EN NETTOYANT LE PETIT FLACON DANS LEQUEL JE VERSE MON ENCRE...

ÇA ALORS, UNE VIEILLE POINTE DE PLUME !

INCROYABLE! ÇA DOIT BAIGNER LÀ-DEDANS DEPUIS DES ANNÉES.

MMM... QUAND EST-CE QUE J'AI BIEN PU PERDRE ÇA ?

J'AI COMME UN VAGUE SOUVENIR.

DOMMAGE D'AVOIR UNE SI MAUVAISE MÉMOIRE.

MMM! OH! ÇA ME REVIENT MAINTENANT.

MERDE! MA PLUME.

BAH! TANT PIS, ÇA VA PAS ROUILLER. JE RÉCUPÉRERAI ÇA UN AUTRE JOUR.

HA HA! ÇA FAIT SUPER LONGTEMPS! J'ÉTAIS ENCORE CÉLIBATAIRE SANS ENFANT.

J'AVAIS ENCORE RIEN PUBLIÉ, JE BOSSAIS DANS L'ANIMATION, ET, ENTRE DEUX PRODUCTIONS JE PRÉPARAIS UNE BÉDÉ POUR L'ASSOCIATION©

HOU LÀ LÀ! C'EST NUL! HÉ, AUJOURD'HUI ILS NE PUBLIERAIENT JAMAIS UN TRUC AUSSI NAZE.

TA GUEULE. JE FAIS CE QUE JE VEUX.

JEUNE INSOLENT.

AVENTURES EN
BIRMANIE
II

BRBRBRBRg'

?

BRRBLORBL

C'EST QUOI CE BRUIT ?
ON DIRAIT QUE ÇA
SE DÉPLACE.

FLOC

HA! PUTAIN,
C'EST QUOI
CT'HORREUR ?

BEUH...
ÇA BOUGE PAS!
C'EST MORT ?

C'EST UN
ÉNORME
CRAPEAU !
IL RESPIRE.
MAIS COMMENT
IL A FAIT POUR
PASSER PAR
LE PLAFOND ?

JE VAIS DEMANDER DE
L'AIDE À MAUNG AYE, IL DOIT
AVOIR L'HABITUDE AVEC CE
GENRE DE SITUATION.

64

EN FAIT PAS DU TOUT. EN UN AN,
ÇA NE S'EST PLUS JAMAIS RE-
PRODUIT ET J'AI BIEN REGRETTÉ
D'ÊTRE ALLÉ LE CHERCHER.

NO
PROBLEM.

CENSURE
À
GOGO

ON PUBLIE BEAUCOUP DE MAGAZINES AU MYANMAR. PLUS DE 80 PAR SEMAINE, M'A-T-ON DIT.

CERTAINS EN COULEUR MAIS LA MAJORITÉ EN NOIR ET BLANC SUR DU PAPIER DE MAUVAISE QUALITÉ.

IL Y A ÉGALEMENT QUELQUES QUOTIDIENS. TOUTES CES PUBLICATIONS DOIVENT PASSER PAR UN BUREAU DE LA CENSURE AVANT DE SE RETROUVER DANS LA RUE.

ET RÉGULIÈREMENT, ON PEUT RETROUVER LA TRACE DU TRAVAIL DE CES MESSIEURS.

DANS LE 'TIME' ON ENLÈVE LA PAGE AU COMPLET.

DES BULLES VIDES.

ON M'A RACONTÉ QU'À L'ÉPOQUE, L'ÉDITEUR DEVAIT RECOUVRIR, À L'AIDE D'UNE PEINTURE ARGENTÉE TRÈS OPAQUE, LES ARTICLES QUI AVAIENT ÉTÉ JUGÉS NÉFASTES POUR SES LECTEURS.

3000

ON POUVAIT AUSSI UTILISER SES CISEAUX ET VENIR DÉPOSER À LA CENSURE LE NOMBRE DE RETAILLES CORRESPONDANT AU TIRAGE.

3000

66

MAIS PARFOIS, IL Y AVAIT DÉJÀ LE TIERS DES EXEMPLAIRES ENVOYÉS EN RÉGION. ALORS, AU LIEU DE COURIR APRÈS, ON RÉIMPRIMAIT EN DOUCE LES PAGES MANQUANTES POUR LES RE-DÉCOUPER AUSSITÔT ET OBTENIR LE BON COMPTE.

LES ANNONCEURS S'INQUIÉTAIENT DE SAVOIR QUI SE TROUVERAIT AU RECTO DE LEUR RÉCLAME.

AH NON, PAS UN CARICATU-RISTE ! À TOUS LES COUPS ON VA SE FAIRE DÉCOUPER AVEC LUI.

OR DONC, DURANT DE NOMBREUSES ANNÉES, IL ÉTAIT POSSIBLE DE VOIR L'ESPACE QU'OCCUPAIT L'ARTICLE QU'ON N'AURAIT JAMAIS LA POSSIBILITÉ DE LIRE.

AH, LES SALAUDS !

← À L'ÉPOQUE

ALORS QU' AUJOURD'HUI, AVEC LA PUBLICA-TION ASSISTÉE PAR ORDINATEUR, ON PEUT RECOMPOSER VITE FAIT LA PAGE ET C'EST NI VU NI CONNU.

MA FOI, TOUT VA BIEN DANS CE PAYS.

← AUJOURD'HUI

ON IMAGINE LA TÊTE DE CERTAINS CANARDS EN FRANCE SOUMIS AU SYSTÈME ÉDITORIAL BIRMAN.

T'AS FINI ?

ATTENDS, JE CHERCHE UN ARTI-CLE.

The NEW LIGHT OF MYANMAR

EST LE JOURNAL OFFICIEL DE LA NATION. ON LE TROUVE PARTOUT, EN VERSION ANGLAISE ET EN VERSION BIRMANE. IL VÉHICULE UNE PROPAGANDE TELLEMENT GROSSIÈRE QU'ON SE DEMANDE SI UNE SEULE PERSONNE DANS TOUT LE PAYS Y CROIT RÉELLEMENT.

AH BON! C'EST PAS VRAI?

SUR LA PREMIÈRE PAGE, ON RETROUVE INVARIABLEMENT LES PRÉTENDUS OBJECTIFS DU PEUPLE DIVISÉS EN 3 CATÉGORIES.

LES 4 OBJECTIFS ÉCONOMIQUES.

LES 4 OBJECTIFS POLITIQUES.

LES 4 OBJECTIFS SOCIAUX.

THE NEW LIGHT OF MYANMAR

ET ÇA CONTINUE À LA DEUXIÈME PAGE AVEC LES 'DÉSIRS' DU PEUPLE. CES QUATRE PHRASES QUE L'ON RETROUVE DE FAÇON OMNIPRÉSENTE SUR TOUS LES LIVRES, LES MAGAZINES, LES DVD, AVANT LA PROJECTION DES FILMS OU JUSTE À CÔTÉ DE CHEZ MOI À L'ENTRÉE DU PARC.

LES 4 DÉSIRS DU PEUPLE
- S'OPPOSER À CEUX QUI UTILISENT DES ÉLÉMENTS EXTÉRIEURS POUR PROPAGER DES IDÉES NÉGATIVES.
- S'OPPOSER À CEUX QUI ESSAIENT DE METTRE EN DANGER LA STABILITÉ DE L'ÉTAT ET LE PROGRÈS DE LA NATION.
- S'OPPOSER AUX NATIONS ÉTRANGÈRES QUI INTERFÈRENT DANS LES AFFAIRES INTERNES DE L'ÉTAT.
- PULVÉRISER LES ÉLÉMENTS DESTRUCTIFS INTERNES ET EXTERNES COMME UN SEUL ET MÊME ENNEMI.

OPPOSER... PULVÉRISER... PFF!...

ON NOTERA LA RÉTHORIQUE XÉNOPHOBE, PARANOÏAQUE ET GUERRIÈRE PROPRE À TOUTES LES DICTATURES.

EN TOUT CAS, À CELLES QUE J'AI VISITÉES.

VOYONS VOIR LES TITRES : UN ACCORD A ÉTÉ TROUVÉ POUR UNE RENCONTRE AVEC L'AMBASSADEUR DE LA SLOVAQUIE • UNE VENTE DE JADE A ATTIRÉ 483 MARCHANDS • LE SECTEUR FORESTIER EST EN PROGRÈS CONSTANT • OUVERTURE D'UN COURS D'ARRANGEMENT FLORAL.

IL Y A ÉGALEMENT UNE CITATION DU SENIOR GÉNÉRAL THAN SHWE (LE Nº1) : "LE DÉVELOPPEMENT DES RESSOURCES HUMAINES EST UN BESOIN VITAL POUR LA NATION. LA DÉMOCRATIE À ELLE SEULE NE PEUT PAS GARANTIR LE DÉVELOPPEMENT DE LA NATION ET SON SOUTIEN À LONG TERME."

OUF!

DES CITATIONS QUI OCCUPENT RÉGULIÈRE-MENT LE QUART D'UNE PAGE.

"LES EFFORTS DOIVENT S'EXERCER CONTINUELLEMENT POUR CRÉER UNE ARMÉE PLUS FORTE ET PLUS MODERNE." SENIOR GÉNÉRAL THAN SHWE

N° 11

ON PEUT DIVISER LE "NEW LIGHT OF MYANMAR" EN TROIS SECTIONS
- L'INTERNATIONAL, OÙ TOUT VA POUR LE PIRE.

KAMIKAZES EN IRAK.

ACCIDENT D'AVION EN INDE.

TREMBLEMT DE TERRE EN AFGHANISTAN.

INONDATION AU VIETNAM.

SUR 2 PAGES

- LE NATIONAL, OÙ GRÂCE AUX EFFORTS DE NOTRE VAILLANTE ARMÉE, LE PAYS SE DÉVELOPPE LENTEMENT MAIS SÛREMENT.

LE MINISTÈRE DES AFFAIRES ÉTRANGÈRES U NYAN WIN EN PARTANCE POUR LE BANGLADESH.

SENIOR GÉNÉRAL THAN SHWE INSPECTE LE PARC NATIONAL KAN DANGYI.

LE PREMIER MINISTRE GÉNÉRAL SOE WIN AU DINER-GALA DE LA MALAISIE.

LIEUTENANT GÉNÉRAL THEIN SEIN PRÉSIDE LA CONVENTION NATIONALE.

LE VICE-SENIOR GÉNÉRAL MAUNG AYE ACCUEILLE LE PREMIER MINISTRE GÉNÉRAL SOE WIN À L'AÉROPORT.

DAW KYI KYI, LA FEMME DU MINISTRE DE L'INFORMATION AUX CONFÉRENCES ÉDUCATIVES.

ETC.

CERTAINS ARTICLES NE CONTIENNENT QUE LA LISTE DES OFFICIELS PRÉSENTS LORS DE L'ÉVÉNEMENT.

ET FINALEMENT, SPORTS & VARIÉTÉS, LA SECTION LA PLUS LUE PAR LES BIRMANS QUI, DEPUIS LE TEMPS, SAVENT À QUOI S'EN TENIR AVEC LE RESTE DU JOURNAL...

...VU QU'ILS ONT AUSSI ACCÈS AUX STATIONS DE RADIO DIFFUSÉES VIA LA THAÏLANDE EN LANGUE BIRMANE.

TIENS!

C'EST EN AYANT À DESSINER DE PRÈS TOUS CES GRADÉS QUE J'AI REMARQUÉ UN PETIT DÉTAIL VESTIMENTAIRE LES CONCERNANT.

CHEMISE DE CIVIL OU DE SOLDAT SANS GRADE.

CHEMISE AVEC LES POCHES RÉAJUSTÉES POUR LES HAUTS GRADÉS.

PAS TRÈS PRATIQUE MAIS ESSENTIEL POUR AFFICHER LES RANGÉES DE DÉCORATIONS.

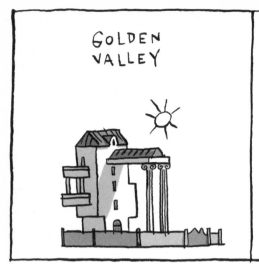

GOLDEN VALLEY

NOUS HABITONS DANS LA 'GOLDEN VALLEY', C'EST UN QUARTIER DE V.I.P.

C'EST-À-DIRE QU'ON EST ENTOURÉ D'HOMMES D'AFFAIRES PROCHES DU RÉGIME ET DE GÉNÉRAUX. CE QUI NOUS ASSURE D'ÊTRE BIEN APPROVISIONNÉS EN ÉLECTRICITÉ ET EN EAU PENDANT TOUTE LA SAISON SÈCHE.

IL Y A DES MAISONS ÉNORMES ! ENTOURÉES PAR DES MURS TOUT AUSSI ÉNORMES QUI NE LAISSENT DÉPASSER QU'UN BOUT DE TOIT.

ZUT ! ON VOIT RIEN...

ET MÊME AVEC CETTE HAUTEUR DE MUR ILS Y RAJOUTENT DES BARBELÉS.

71

CHACUN SE PROTÈGE SELON SES MOYENS.

TESSONS DE BOUTEILLES POUR LES PETITES MAISONS.

GRILLE AVEC DES POINTES POUR LES MOYENNES.

BARBELÉS ET CAMÉRAS VIDÉO POUR LES PLUS GROSSES ET LES PLUS SOPHISTIQUÉES.

ÇA FAIT NOUVEAUX RICHES LES BARBELÉS, TU TROUVES PAS ?

ADA!

ET CELLES GARDÉES NUIT ET JOUR PAR DES SOLDATS APPARTIENNENT À DES OFFICIERS DE L'ARMÉE.

POURTANT LA CRIMINALITÉ EST QUASI INEXISTANTE ET LES EFFRACTIONS RARISSIMES, C'EST À SE DEMANDER DE QUOI ILS CHERCHENT TANT À SE PROTÉGER.

72

EN CE QUI CONCERNE LES MILITAIRES, CE QU'ILS CRAIGNENT LE PLUS DANS CE PAYS, CE SONT LES AUTRES MILITAIRES.

LES LUTTES POUR LE POUVOIR OCCASIONNENT D'INCESSANTES GUERRES INTESTINES AU SEIN DU RÉGIME.

TIENS, ILS ONT CHANGÉ LE MINISTRE DU TRANSPORT.

ENCORE?

LE CAS DU PREMIER MINISTRE KHIN NYUT EN OCTOBRE 2004 EST RESTÉ DANS LES MÉMOIRES.

CONSIDÉRÉ COMME UN RÉFORMATEUR MODÉRÉ, KHIN NYUT AVAIT TENTÉ UN RAPPROCHEMENT ENTRE LE NUMÉRO 1 ET SON ENNEMI JURÉ: AUNG SAN SUU KYI. SANS SUCCÈS COMME ON LE SAIT.

IL ENTRETENAIT BEAUCOUP DE CONTACTS AVEC L'ÉTRANGER, ESSAYANT DE SORTIR SON PAYS DE L'ISOLEMENT. C'ÉTAIT AUSSI L'UN DES RARES MILITAIRES À AVOIR UN DIPLÔME UNIVERSITAIRE.

ET MALGRÉ SA FONCTION DE CHEF DES SERVICES DU RENSEIGNEMENT, SON CABINET S'EST RETROUVÉ SECRÈTEMENT PRIS D'ASSAUT ET TOUT LE MINISTÈRE A ÉTÉ JETÉ EN PRISON.

DEPUIS CETTE PURGE QUI A EU LIEU QUELQUES MOIS AVANT NOTRE ARRIVÉE, LE GOUVERNEMENT A RADICALISÉ SA POSITION ET LE PAYS FAIT MARCHE ARRIÈRE.

HA HA HA

LES O.N.G. ET LES INSTANCES INTERNATIONALES SE RETROUVENT DE PLUS EN PLUS SOUVENT DANS LE COLLIMATEUR DES GÉNÉRAUX.

... TOUS CES ÉLÉMENTS EXTÉRIEURS QUI PROPAGENT DES IDÉES NÉGATIVES ...

ET LA POPULATION OBSERVE CE COMBAT DES CHEFS SANS POUVOIR DIRE QUOI QUE CE SOIT.

IL FAUT PAS DÉSESPÉRER, À 76 ANS IL VA BIENTÔT CASSER SA PIPE, LE PÈRE THAN SHWE.

ET UNE FOIS PARTI, LES CHOSES CHANGERONT.

TU SAIS, ON NOUS DISAIT LA MÊME CHOSE POUR LE DÉPART DE NE WIN, L'ANCIEN DICTATEUR.

DEPUIS 1962, IL A FAIT LA PLUIE ET LE BEAU TEMPS ...

... EN 88, IL Y A EU DES MANIFESTATIONS QUI ONT ÉTÉ RÉPRIMÉES DANS LE SANG, ET ILS NOUS ONT MIS THAN SHWE À LA TÊTE DU PAYS.

ALORS, POUR L'ESPOIR, PERMETS-MOI DE DOUTER.

74

DES JOURS SANS

BON, JE VAIS SORTIR FAIRE DES CROQUIS, ÇA VA M'AÉRER LA TÊTE.

JE DEVRAIS FAIRE ÇA PLUS SOUVENT AU LIEU DE RESTER CLOÎTRÉ DANS MA CHAMBRE.

QUE DESSINER?

LE JOUR DES
FORCES ARMÉES

LES RUES SONT PLEINES DE MILITAIRES,
CES TEMPS-CI.

C'EST BIENTÔT LA JOURNÉE DES FORCES
ARMÉES ET LE RÉGIME CRAINT TOUJOURS
QUE CERTAINS MÉCONTENTS PROFITENT DE
CETTE CÉLÉBRATION POUR FAIRE
DU GRABUGE.

CE QUI ME PARAÎT ASSEZ IMPROBABLE
CAR DEPUIS DES SEMAINES, DES AGENTS
POSTÉS CHAQUE 200 MÈTRES SUR-
VEILLENT JOUR ET NUIT LA ROUTE QUE
LE DÉFILÉ EMPRUNTERA.

ET RÉGULIÈREMENT, ILS DOIVENT
SONDER LEUR BOUT DE TERRE-
PLEIN POUR VÉRIFIER QU'UNE
MINE NE S'Y CACHE PAS.

À VOIR L'EXPRESSION SUR
LEURS VISAGES, ON COMPREND
QU'ILS NE SOIENT PAS FRAN-
CHEMENT ENTHOUSIASMÉS
PAR CETTE TÂCHE.

MARCHANDS
AMBULANTS

YAMAAANiAMANiÉÉÉÉÉÉ !

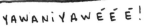

YAWANiYAWÉÉÉ !

78

79

PENDANT LES QUELQUES JOURS PASSÉS À PARIS AVANT DE VENIR EN BIRMANIE, J'AI CROISÉ UN RÉMOULEUR.

J'AI TROUVÉ ÇA TRÈS EXOTIQUE, JE CROYAIS QUE ÇA N'EXISTAIT PLUS QUE DANS LES PHOTOS DE DOISNEAU. IL PARAÎT QUE C'EST LES IMMIGRÉS DE L'EST QUI REMETTENT ÇA AU GOÛT DU JOUR. TANT MIEUX.

J'AI CROISÉ LA VERSION BIRMANE QUELQUES JOURS PLUS TARD.

RUSTIQUE MAIS BEAUCOUP PLUS EFFICACE.

AU CLUB
AUSTRALIEN

DES AMIS, QUI POSSÈDENT UNE CARTE DE MEMBRE, NOUS INVITENT À PASSER LE DIMANCHE AU CLUB AUSTRALIEN.

TERRAIN DE SQUASH

PISCINE

BASSIN POUR ENFANTS

BALANÇOIRES ET TOBOGAN

GRANDE PELOUSE

BUFFET

BARBECUE

TERRAIN DE TENNIS

NOT BAD.

ICI, C'EST UN AUTRE MONDE.

AU PROGRAMME : SQUASH, BAIGNADE ET GRILLADES.

C'EST QUOI ÇA "CASCADE"? C'EST AUSTRALIEN COMME BIÈRE ?

HÉ, T'AS VU QU'ILS SERVENT LEURS BIÈRES DANS DES GOBELETS ISOLANTS !

TOM...

IL Y A UN NOM ÉCRIT SUR LE MIEN... JE CROIS QU'ILS M'ONT DONNÉ LE GOBELET DE TOM.

TU CONNAIS TOI, TOM ?

NON.

BON, BEN J'ESPÈRE QUE JE VAIS PAS LE CROISER. JE VOUDRAIS PAS QU'IL S'IMA-GINE QUE JE SUIS DU GENRE À PIQUER LES GOBELETS ISOLANTS DES AUTRES.

EN SOIRÉE, ON SE GRILLE DE LA VIANDE AUSTRALIENNE.

AAAAAH! DES "T-BONES"... ÇA ME RAPPELLE MA JEUNESSE CANADIENNE.

APRÈS UNE RUDE JOURNÉE À COUPER DU BOIS ET À CHASSER L'OURS DANS LA FORÊT, RIEN DE TEL QU'UN GROS "T-BONE".

DES OURS... DES GROS OURS EN CHOCOLAT !

TU CROIS QU'ILS PASSENT TOUTES CES BIÈRES ET CES KILOS DE BIDOCHES PAR LA VALISE DIPLO-MATIQUE ?

DE QUOI ELLES PEUVENT BIEN AVOIR L'AIR, CES VALISES DIPLOMATIQUES ? C'EST MYSTÉRIEUX, TU TROUVES PAS ?

ELLES DOIVENT ÊTRE RÉFRIGÉRÉES EN TOUT CAS.

TU CROIS QU'ELLES ONT DES PETITES ROULETTES ET DES MANCHES TÉLESCO-PIQUES POUR FACILITER LEURS DÉPLACEMENTS ?

TOUS CES AUSTRALIENS SONT TRÈS ACCUEILLANTS. J'ESSAIE DE SUIVRE LA CONVERSATION, MAIS AVEC LEUR ACCENT C'EST PAS FACILE.

SORRY?

HÉ! TU SAVAIS QU'UNE BOMBE A EXPLOSÉ HIER SOIR PRÈS DE LA GARE?

OUI, ILS EN PARLAIENT AU BUREAU.

PFF! ON ME DIT JAMAIS RIEN, À MOI.

POUR ENTRER DANS LE CLUB, IL FAUT SE FAIRE "SPONSORISER" PAR UN MEMBRE DE L'AMBASSADE.

AH!

BAH! C'EST PAS GRAVE. ON IRA À NOTRE PISCINE DE QUARTIER. ELLE EST TRÈS BIEN.

← MEN
WOMAN→

REGARDE MA MAIN, ON DIRAIT QUE LA PEAU ENFLE. JE SAIS PAS CE QU'ILS UTILISENT COMME PRODUIT, MAIS ÇA ME FAIT UNE DRÔLE DE RÉACTION.

AH OUI, ÇA FAIT UNE COULEUR BLANCHÂTRE, ON DIRAIT.

BON, T'ES SÛRE DE PAS CONNAÎTRE QUELQU'UN À L'AMBASSADE AUSTRALIENNE?

84

PC

JE CROYAIS POUVOIR M'EN PASSER MAIS, FINA-LEMENT, JE DÉCIDE DE M'ACHETER UN ORDINATEUR. LES CAFÉS INTERNET SONT RARES ET JE VAIS DEVOIR COMMUNIQUER QUOTIDIENNEMENT AVEC LE COLORISTE DE MON PROCHAIN ALBUM.

JE PROFITE D'UN MOMENT LIBRE DU CHAUFFEUR DE MSF POUR ME RENDRE AU MAGASIN. JE PRÉFÈRE ÉVITER LE TAXI CAR JE DOIS TRANS-PORTER LA SOMME EN LIQUIDE AVEC MOI.

JE FAIS UNE PETITE COURSE AVANT.

"UNE PETITE COURSE AVANT" SIGNIFIE QU'ON VA PASSER LA MOITIÉ DE LA JOURNÉE À RÉGLER DIVERSES PAPERASSERIES POUR SON TRAVAIL. MAIS COMME J'AI TOUT MON TEMPS, ÇA ME VA.

NO PROBLEM, PAO !

ET QUAND IL FAIT PAS TROP CHAUD, C'EST UN PLAISIR DE SE PROME-NER DANS LES PETITES RUES DU CENTRE VILLE.

AVEC CETTE ARCHITECTURE COLONIALE ANGLAISE QU'ON RETROUVE PARTOUT OÙ ILS ONT MIS LES PIEDS. DE SHANGHAÏ À MONTRÉAL.

MAIS ICI AVEC DES FAÇADES PATINÉES PAR LES MOUSSONS ET DES INSTALLATIONS ÉLECTRIQUES DIGNES D'UN SAVANT FOU.

ON S'ARRÊTE POUR RÉGLER LA FACTURE D'ÉLECTRICITÉ DANS UN IMMEUBLE PLONGÉ DANS LA PÉNOMBRE.

ON PASSE ENSUITE À LA BANQUE. ICI, PAS D'ORDINATEUR, SEULEMENT D'ÉNORMES REGISTRES EMPILÉS UN PEU PARTOUT.

ET POUR LE PC ?

ON S'ARRÊTE ENSUITE DANS CE QUI ME SEMBLE ÊTRE UN ENTREPÔT.

JE RESTE SUR LE PAS DE LA PORTE PENDANT QUE PAO DISCUTE À L'INTÉRIEUR.

C'EST ALORS QU'UN HOMME VIENT ME CHERCHER. IL INSISTE POUR QUE JE RENTRE ET QUE JE PRENNE UN SIÈGE.

JE ME RETROUVE SANS TROP COMPRENDRE DEVANT LE BUREAU DU RESPONSABLE.

HEUREUX DE VOUS RENCONTRER ENFIN...

JE JETTE UN COUP D'OEIL VERS PAO POUR ESSAYER DE DEVINER CE QUE JE DEVRAIS FAIRE MAIS IL EST COMME FIGÉ.

HEU...

87

S'ENSUIT ALORS UNE CURIEUSE CONVERSATION.

VOUS SAVEZ POUR LES CONSIGNES D'IMPORTATION ?

AH OUI, LES CONSIGNES... ON M'A DIT.

ET VOUS FAITES VENIR QUOI COMME MÉDICAMENTS ?

EH BIEN...

CEUX QUI SOIGNENT...

... QUI SOIGNENT LA MALARIA.

EUH... ENFIN, PRINCIPALEMENT LA MALARIA.

... ET UN PEU DES AUTRES AUSSI.

JE M'EN SORS, ET POUR MA PEINE ON NOUS OFFRE UN JOLI DOCUMENT TAMPONNÉ.

ON TERMINE CE PARCOURS AU MAGASIN D'INFORMATIQUE. LE MATÉRIEL N'EST PAS TRÈS CHER EN BIRMANIE, MAIS COMME LE PLUS GROS BILLET ÉQUIVAUT À UN EURO, JE DOIS ENTASSER QUATRE GROSSES PILES SUR LE COMPTOIR POUR RÉGLER MON ACHAT.

VOILÀ

ILS SE METTENT À TROIS POUR TOUT RECOMPTER AVANT DE ME LAISSER PARTIR.

ÇA Y EST, JE PEUX Y ALLER ?

BON SANG, J'AI L'IMPRESSION DE TRAFIQUER DE L'HÉROÏNE.

DÉMONÉTISATION

AUJOURD'HUI, JE ME SUIS FAIT ARNAQUER. APRÈS AVOIR RÉGLÉ UN ACHAT, ON M'A REFILÉ UN BILLET QUI N'A PLUS COURS LÉGAL. MAIS JE SUIS BIEN CONTENT, JE N'EN AVAIS JAMAIS VU.

OH !

C'EST UN VIEUX 5 KYATS AVEC LA TÊTE DE AUNG SAN DESSUS. LE GRAND HÉROS DE L'INDÉPENDANCE DU PAYS.

LE PÈRE SUR LES BILLETS DE BANQUE ET SA FILLE EN RÉSIDENCE SURVEILLÉE. CURIEUX PAYS.

IL AVAIT UN BEAU VISAGE CE AUNG SAN, SA FILLE LUI RESSEMBLE BEAUCOUP D'AILLEURS. ET C'EST SOUVENT LA SEULE CHOSE QUE L'ON RETIENT DE SON COMBAT : QUE C'EST LA PLUS JOLIE DES PRIX NOBELS.

SUR LES NOUVEAUX BILLETS, ON A REMPLACÉ LA FIGURE DU HÉROS PAR UN LION DE LA MYTHOLOGIE LOCALE.

GRR...

IL FAUT AUSSI DIRE QUE LE PRÉCÉDENT DICTATEUR AVAIT ÉMIS, PAR SUPERSTITION, DES COUPURES DE 15, 45, ET 90 ! DE QUOI RENDRE UN PEUPLE FOU OU CHAMPION DU MONDE DE CALCUL MENTAL.

15   45   90

AH NON, POUR 217, ÇA FAIT 2X90, 2X15, 1X5 ET 2X1 ...

JE VOUS AVAIS PAS DONNÉ PLUS ?

LE COMPTE EST BON.

BABY GROUP

TOUS LES MERCREDIS APRÈS-MIDI, DES PARENTS SE RÉUNISSENT AVEC LEUR ENFANT POUR QU'ILS PUISSENT JOUER ENSEMBLE.

BIGROUP!

BABY GROUP.

UN PEU DE SOCIABILISATION NE FERA PAS DE MAL À LOUIS.

ET QUI SAIT, JE RENCONTRERAI PEUT-ÊTRE UN AUSTRALIEN QUI ME FERA ENTRER DANS LE CLUB.

LA MAISON EST ÉNORME.

WOW!

TAXI

DE TOUT CE GROUPE, JE SUIS LE SEUL PAPA. IL Y A UNE PETITE PISCINE ET UNE BALANÇOIRE, DES CANAPÉS ET DU VIN BLANC.

ET DES CAISSES REMPLIES DE JOUETS.

(RÉFLEXE DE CELUI QUI EST ARRIVÉ DANS LE PAYS SAC AU DOS)

BON SANG, ÇA DOIT PESER UNE TONNE TOUT ÇA.

D'UN CÔTÉ, IL Y A LE GROUPE DES MAMANS...

...ET DE L'AUTRE, LES NOUNOUS QUI S'OCCUPENT DES ENFANTS.

J'ESSAIE DE PASSER DE L'UN À L'AUTRE, MAIS LOUIS NE L'ENTEND PAS DE CETTE OREILLE.

JE FAIS DE LA BÉDÉ.

AH, JE VOIS...

...C'EST BIEN DE S'OCCUPER.

C'EST PAS JUSTE UNE OCCUPATION, C'EST MON MÉTIER.

ENFIN BON, VOUS FAITES QUOI, VOUS ?

ON TRAVAILLE À L'ONU.

"ON" ?

MON MARI.

AH, JE VOIS.

ET VOUS SAVEZ S'IL Y EN A QUI ONT DES MARIS À L'AMBASSADE AUSTRALIENNE ?

91

L'APRÈS-MIDI TIRE À SA FIN, LES GENS RENTRENT CHEZ EUX.

IL Y A DES CHAUFFEURS AU VOLANT DE 4X4 QUI VIENNENT CHERCHER LA NOUNOU ET LE BÉBÉ.

DES 4X4 DERNIERS MODÈLES !

BON SANG, LES TAXES QUE ÇA DOIT COÛTER POUR FAIRE ENTRER UNE BAGNOLE COMME ÇA DANS LE PAYS.

ON ME RAMÈNE GENTIMENT CHEZ MOI.

APRÈS AVOIR FRÉQUENTÉ RÉGULIÈREMENT LE BABY-GROUP, J'AI FAIT CONNAISSANCE AVEC PLUSIEURS DE CES MAMANS. LA PLUPART AVAIENT CHOISI DE PRENDRE DU TEMPS POUR ÉLEVER LEUR GAMIN, FAISANT UNE PAUSE DANS LEUR CARRIÈRE DIPLOMATIQUE, HUMANITAIRE OU DE FONCTIONNAIRE INTERNATIONAL.

MAIS C'EST PAS JUSTE UNE OCCUPATION, C'EST VRAIMENT MON MÉTIER.

DISPARITION

HÉ, ATTENDS !

UN COIN DE RUE PLUS LOIN, MAUNG AYE S'ENGOUFFRE DANS UNE ENTRÉE.

DANS LA MAISON, IL FAIT SOMBRE, ON ENTEND LA BANDE SON D'UN FILM D'ACTION VENANT DU FOND DU COULOIR ET UN GROUPE D'ENFANTS SE POURSUIVENT D'UNE PIÈCE À L'AUTRE.

AU MILIEU DE TOUT ÇA, DEUX ADOLESCENTES (DONT UNE QUI M'A TOUT L'AIR D'ÊTRE MONGOLIENNE) SE DISPUTENT LOUIS.

ET CURIEUSEMENT, IL NE PLEURE PAS, AUTREMENT, PERSONNE NE FAIT ATTENTION À MOI.

MAUNG AYE, TOUT SOURIRE, M'INVITE À PASSER DANS LA PIÈCE D'À CÔTÉ.

94

UNE FEMME ÂGÉE ME FAIT SIGNE DE M'ASSEOIR. ELLE EST ALLONGÉE SUR UN LIT ET À CÔTÉ DE SA TÊTE UN VENTILATEUR LUI SOUFFLE BRUYAMMENT DE L'AIR.

WHAT AN HORRIBLE COUNTRY THIS IS.

VENANT D'UNE INCONNUE, AUTANT DE FRANCHISE ME SURPREND.

DANS MA SITUATION, JE NE CRAINS PLUS PERSONNE, JE DIS CE QUE JE PENSE.

APRÈS UN BON MOMENT DE CONVERSATION, J'APPRENDS QUE, SUITE À UN ACCIDENT DE VOITURE, ELLE EST CLOUÉE DANS CE LIT DEPUIS 13 LONGUES ANNÉES.

APRÈS AVOIR TIRÉ SUR LES ÉTUDIANTS EN 88, ILS ONT FERMÉ LES UNIVERSITÉS ! LE NIVEAU D'ÉDUCATION EST LAMENTABLE. LES JEUNES NE SAVENT PLUS PARLER ANGLAIS.

ELLE SE FÉLICITE D'AVOIR ENVOYÉ SES DEUX FILLES ÉTUDIER À L'ÉTRANGER.

JE N'ESPÈRE QU'UNE CHOSE, C'EST QU'ELLES NE REVIENDRONT PLUS JAMAIS ICI...

... QU'ELLES NE FASSENT PAS COMME DAW AUNG SAN SUU KYI.

(QUI, À L'ORIGINE, ÉTAIT REVENUE DANS LE PAYS POUR PRENDRE SOIN DE SA MÈRE MALADE.)

ELLE ME PARLE DU PASSÉ, DE SA JEUNESSE, DU RANGOUN DE LA BELLE ÉPOQUE. ÇA AVAIT L'AIR D'ÊTRE UN ENDROIT FORMIDABLE À VIVRE.

MAIS IL SE FAIT TARD, JE DOIS RENTRER.

ENCORE DÉSOLÉE DE VOUS ACCUEILLIR DANS UN PAYS AUSSI MAL EN POINT.

SOYEZ TOUJOURS LE BIENVENU CHEZ MOI.

JEUNES & REBELLES

ÊTRE UN JEUNE REBELLE N'EST PAS CHOSE FACILE AU MYANMAR. LA JUNTE MILITAIRE QUI OPPRIME LA POPULATION NE LAISSE PAS BEAUCOUP DE PLACE AUX DÉBORDEMENTS.

MAIS BON, MALGRÉ TOUT, IL FAUT BIEN QUE JEUNESSE SE PASSE, ET C'EST POURQUOI, DANS UNE GRANDE VILLE COMME RANGOUN, IL EXISTE DES BOUTIQUES POUR CEUX QUI ONT À CŒUR DE SE DISTINGUER DES MODES AMBIANTES.

LE CHOIX EST VARIÉ.

ALORS ON TROUVE LE T-SHIRT DE MARILYN MANSON, MAIS POUR L'ÉCOUTER IL FAUT ALLER EN THAÏLANDE PARCE QU'ICI, À PART LES GROUPES LOCAUX, ABBA OU CÉLINE DION, C'EST LE DÉSERT.

SONIC YOUTH! JE DÉFIE QUICONQUE DE TROUVER UN SONIC YOUTH EN BIRMANIE.

IL Y A AUSSI CEUX QUI PORTENT DES TREILLIS MILITAIRES FAÇON GUERRE DU GOLF.

BON SANG, Y'A PAS ASSEZ DE MILITAIRES COMME ÇA DANS LES RUES?

VU LE PRIX DE CES T-SHIRTS, JE VOIS PAS QUI D'AUTRE PEUT S'EN ACHETER À PART LES FILS DE MILITAIRES.

MAIS LE PIRE, CEUX QUI M'ÉNERVENT LE PLUS, CE SONT CEUX QUI SE BALADENT AVEC UNE CROIX GAMMÉE.

MISÈRE...

EN VOILÀ UNE SUPER IDÉE ! DÉBARRASSONS-NOUS DE LA JUNTE MILITAIRE POUR Y METTRE À LA PLACE LE IIIᵉ REICH. TOUT IRA SÛREMENT BEAUCOUP MIEUX AVEC EUX.

PFF...

J'TE JURE.

CHE GUEVARA, SVASTIKA, MÊME COMBAT ?

QUELLE DÉPRIME !

Y'EN A UN QUI DOIT SE RE-TOURNER DANS SA TOMBE.

ZUT ! Y FAISAIT SUPER BEAU.

9
8

MOINE SENIOR

CE MATIN, NOUS ALLONS AU TEMPLE. L'ASSISTANT ADMINISTRATEUR DE NADÈGE FÊTE SA NOUVELLE NOMINATION. U TOE WIN EST UN BOUDDHISTE TRÈS PRATIQUANT ET IL VIENT D'ATTEINDRE LE NIVEAU DE MOINE SENIOR.

C'EST UN HOMME MARIÉ QUI A DES ENFANTS ET DES PETITS-ENFANTS. ON PEUT DONC, DANS LE BOUDDHISME THERAVÂDA, ÊTRE LAÏQUE ET MOINE À LA FOIS.

TU SAVAIS ÇA, TOI?

BEN NON.

NOUS L'AVIONS QUITTÉ LE VENDREDI SOIR, LE NEZ PLONGÉ DANS SON LIVRE DE COMPTES...

POUR LE RETROUVER LE LENDEMAIN LE CRÂNE RASÉ, RAYONNANT DE SAGESSE ET DE MILLE PETITES AMPOULES ÉLECTRIQUES ANIMÉES.

ON A APPORTÉ UN PETIT QUELQUE CHOSE.

PAS FACILE POUR TROUVER QUELQUE CHOSE À OFFRIR À UN MOINE.

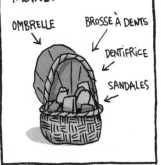

HEUREUSEMENT IL EXISTE DES PANIERS GARNIS POUR TOUTES LES CIRCONSTANCES DE LA VIE D'UN MOINE.

OMBRELLE

BROSSE À DENTS

DENTIFRICE

SANDALES

VU LE NOMBRE D'INVITÉS AUJOURD'HUI, U TOE WIN AURA DE QUOI SE BROSSER LES DENTS POUR LE RESTANT DE SES JOURS.

ON NOUS SERT À MANGER DANS LA GRANDE SALLE DE MÉDITATION.

IL EST MIEUX COMME ÇA, TU TROUVES PAS ?

Y'A JUSTE LES LUNETTES, PEUT-ÊTRE, QUI ME GÊNENT UN PEU.

EN FAIT, C'EST LE MÊME MODÈLE QUE CELLES DU DALAÏ-LAMA ! C'EST À SE DEMANDER SI ÇA FAIT PARTIE DE LA PANOPLIE DU PARFAIT PETIT MOINE.

ET C'EST ALORS QU'ON NOUS PRÉSENTE LE MOINE EN CHEF DU MONASTÈRE.

100

DES NOUVELLES
DU FRONT.

NADÈGE PART À NOUVEAU SUR LE TERRAIN. ÇA VA FAIRE BIENTÔT 6 MOIS QU'ON EST LÀ, ET JE N'AI TOUJOURS PAS PU VISITER LE PROJET.

POURQUOI JE PEUX PAS VENIR?

LES AUTORISATIONS POUR LES DÉPLACEMENTS DANS LES ZONES SENSIBLES SONT SUPER DURES À OBTENIR CES TEMPS-CI. LE GOUVERNEMENT NOUS MET DES BÂTONS DANS LES ROUES.

ET ON SAIT PAS POURQUOI.

C'EST LA FOULE CE SOIR.

UN PEU PASSÉ MINUIT.

AU REVOIR ET BON COURAGE POUR LA SUITE.

BON SANG, IL Y A ENCORE DES CHAUFFEURS QUI ATTENDENT.

GOOD NIGHT, LES GARS.

HOU LÀ ! ÇA TOURNE.

LA NUIT À YANGOUN, LA VILLE APPARTIENT AUX CHIENS ERRANTS.

IL Y A UN COIN EN PARTICULIER OÙ JE SAIS QU'ILS SE REGROUPENT.

GRRR !

POUSSEZ-VOUS, CLÉBARDS DE MERDE !

WHA !

PUTAIN, ILS ME POURSUIVENT !

ENCORE HEUREUX QUE JE ME SOIS FAIT VACCINER CONTRE LA RAGE AVANT DE VENIR.

103

SIX MOIS PLUS TÔT, À L'INSTITUT PASTEUR DE PARIS.

...DT POLIO, HÉPATITE A ET B, ENCÉPHALI-TE JAPONAISE, ET JE VOUS CONSEILLE DE FAIRE LA RAGE AUSSI, TANT QUE VOUS Y ÊTES.

PFF... LA RAGE. ÉVIDEMMENT, COMME C'EST EUX QUI L'ONT INVENTÉ, ILS DOI-VENT LE PRESCRIRE À TOUT LE MONDE.

BON, JE VOUS METS TOUT ÇA LÀ-DEDANS, IL FAUDRA L'EMMENER AVEC VOUS POUR CONTINUER LE TRAITEMENT. ATTENTION, ÇA DOIT RESTER AU FRAIS.

HÔTEL

MÉTRO

RER

AÉROPORT

AVION

TRANSIT

AVION

TAXI

AU FRAIS! JUSQU'EN BIRMANIE?

TOUT À FAIT.

ENVELOPPE À BULLES AVEC UN ACCUMULATEUR DE FROID À L'INTÉRIEUR, ATTACHÉE PAR DEUX ÉLASTIQUES.

!

Mon jeune ami, je n'ai pas l'habitude de discuter avec des freluquets!... Descendez! Et plus vite que ça!... Je dois être dans un quart d'heure à la gare du Sud.

Et moi, je dois aller sans retard à l'Institut Pasteur...

...car je viens d'ê-tre mordu par ce chien enragé!

SACRÉ TINTIN, IL EST PARTOUT CELUI-LÀ.

GROUPE
ÉLECTROGÈNE

KIPLING, SOMERSET MAUGHAM ET JOSEPH KESSEL ONT FRÉQUENTÉ LE "STRAND" À L'ÉPOQUE COLONIALE DE RANGOUN.

C'EST DANS CET HÔTEL MYTHIQUE QUE JE PRENDS UN VERRE À LA SANTÉ DE LA REINE HOLLANDAISE. EN QUELQUE SORTE, LEUR FÊTE NATIONALE.

JE DISCUTE BANDE DESSINÉE AVEC UN DIPLOMATE QUI ARRIVE DE BRUXELLES. À UN MOMENT JE MENTIONNE MON PARCOURS DANS LE DESSIN ANIMÉ.

DANS LA SEMAINE, UNE MERCEDES ENTRE DANS LA COUR ET SON CHAUFFEUR DÉPOSE UNE INVITATION À DÉJEUNER POUR LE LENDEMAIN.

J'Y FAIS LA CONNAISSANCE D'UN GRAPHISTE BIRMAN QUI RÊVE DEPUIS LONGTEMPS D'APPRENDRE L'ANIMATION.

JE LE REVOIS AVEC PLUSIEURS DE SES CAMARADES POUR FORMER UN PETIT STAGE DE DESSIN ANIMÉ. ON SE RENCONTRE TOUS LES DIMANCHES MATIN CHEZ L'UN OU CHEZ L'AUTRE.

ET JE ME RETROUVE À EXPLIQUER LES PRIN- CIPES DE BASE D'UN MOUVEMENT, COMME JE L'AI FAIT SI SOUVENT PAR LE PASSÉ, AVEC L'EXERCICE DE LA BALLE.

C'EST PAS BON.

C'EST MOU.

ÇA MANQUE DE POIDS.

IL FAUT RAJOUTER DES IMAGES EN HAUT.

ET EN METTRE JUSTE UNE AU MOMENT DU CONTACT, SINON ON DIRAIT QUE ÇA COLLE PAR TERRE. EH OUI !

POUR DES RAISONS TECHNIQUES, ON N'ARRIVE PAS À AVANCER BEAUCOUP. NOUS SOMMES DANS UN QUARTIER POPULAIRE ET, CES TEMPS-CI, ILS NE REÇOIVENT QUE 4 HEURES D'ÉLECTRICITÉ PAR JOUR. JUSTE ASSEZ POUR RECHARGER LA BATTERIE, MAIS COMME ELLE EST PAS TOUTE JEUNE, ELLE NE TIENT PAS LA CHARGE LONGTEMPS.

C'EST AU COURS DE CES RENCON- TRES QUE J'AI APPRIS L'EXIS- TENCE DES QUARTIERS V.I.P. LES AUTRES SECTEURS DE LA VILLE SE PARTAGENT CE QU'IL RESTE.

BON, ET SI ON ESSAYAIT ÇA CHEZ MOI, LA SEMAINE PROCHAINE ?

NON MERCI.

ON VA DÉRANGER.

C'EST GENTIL.

ALLONS BOIRE UN VERRE.

107

UN CONCERT DE GROUPES ÉLECTROGÈNES NOUS ACCUEILLE DANS LA RUE. ÇA FAIT UN BOUCAN D'ENFER.

ON PARLE DE TOUT ET DE RIEN. D'INFORMATIQUE, D'INTERNET...

TOUT PASSE PAR LE "PROVIDER" DE L'ARMÉE. ILS ONT DES FILTRES TRÈS PUISSANTS QUI BLOQUENT BEAUCOUP DE SITES ET LES DÉBITS SONT TROP LENTS.

LA CONVERSATION GLISSE SUR LA POLITIQUE DU PAYS ET JE SUIS SURPRIS DE POUVOIR EN PARLER AUSSI FACILEMENT AVEC EUX.

TU VOIS, SI JE T'INVITE À DORMIR CHEZ MOI, JE DOIS LE SIGNALER AUX REPRÉSENTANTS DE L'AUTORITÉ DE MON QUARTIER.

PARCE QUE JE SUIS UN ÉTRANGER ?

NON, AVEC LES BIRMANS C'EST COMME ÇA AUSSI.

Y'EN A UN PARMI EUX QUI RESSEMBLE COMME DEUX GOUTTES D'EAU À PETER LORRE. C'EST TROUBLANT, J'ARRÊTE PAS DE LE DÉVISAGER, JE RATE LA MOITIÉ DE LA CONVERSATION.

JE ME DEMANDE S'IL EXISTE COMME ÇA UN PETER LORRE DANS CHAQUE PAYS.

APRÈS AVOIR INSISTÉ PLUSIEURS FOIS, JE LEUR DONNE RENDEZ-VOUS CHEZ MOI LA SEMAINE SUIVANTE.

TA TA.

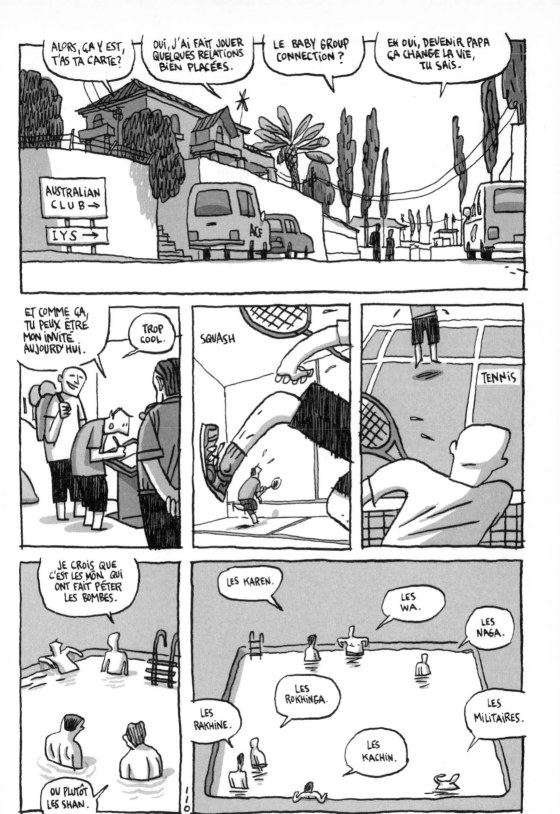

AÏE! J'AI PEUT-ÊTRE UN PEU FORCÉ POUR UNE PREMIÈRE FOIS.

LE LENDEMAIN.

RHAAAAAH, MEEEEEEERDE!

C'EST PAS VRAI, J'ARRIVE À PEINE À ENCRER MA PAGE. BON SANG, JE PEUX PAS M'ARRÊTER MAINTENANT, IL M'EN RESTE QUE 4 À FAIRE.

JE ME SUIS NIQUÉ L'BRAS.

L'AVANTAGE D'ÊTRE AVEC UNE ONG MÉDICALE C'EST QU'ON EST ENTOURÉ DE MÉDECINS.

TENDINITE!

TENDINITE!

TENDINITE.

MAIS DANS 4 PAGES J'AI FINI L'ALBUM.

ANTI-INFLAMMATOIRES.

ANTI-INFLAMMATOIRES.

ANTI-INFLAMMATOIRES.

ET C'EST REPARTI, COMME EN 14.

À PART LE MAL DE BIDE, ÇA VA.

AU LAC

petites
prières

3 MOIS PLUS TARD.

6 MOIS PLUS TARD.

COCKTAILS

Y'A UN COCKTAIL AU KANDANGY POUR LE DÉPART D'UNE EMPLOYÉE DE L'ONU.

AH NON, PLEIN LE CUL DE CES COCKTAILS, Y'EN A UN CHAQUE 3 JOURS.

Y PARAÎT QUE C'EST TRÈS BEAU LE KANDANGY. ON POURRAIT ALLER Y JETER UN COUP D'ŒIL ?

ET POURQUOI ILS INVITENT M.S.F. D'ABORD ? ON N'A RIEN À VOIR AVEC L'ONU.

NORMALEMENT C'EST ASIS QUI EST INVITÉ, MAIS VU QU'IL EST DANS LES CAMPS DE RÉFUGIÉS KAREN EN THAÏLANDE, C'EST À MOI QUE ÇA REVIENT.

JUSTEMENT, ASIS NE MET JAMAIS LES PIEDS DANS CE GENRE DE COCKTAIL À LA CON, IL DÉTESTE ÇA. ET MOI JE COMMENCE À SATURER DE VOIR TOUT CE PETIT MONDE D'EXPATRIÉS.

ALLEZ, ON RESTERA PAS LONGTEMPS.

NON.

ALLEZ.

PFF!

114

C'EST ICI, JE CROIS, NON ?

OH, REGARDE COMME C'EST JOLI, IL Y A UN DINOSAURE.

PFF... UN DINO- SAURE !

ET VOILÀ. MOYENNE D'ÂGE 2 FOIS LA MIENNE. PAS UNE TÊTE QUI ME DIT QUEL- QUE CHOSE. LE PROTOTYPE MÊME DE LA SOIRÉE MERDIQUE.

CE VIN EST BOUCHON- NÉ OU QUOI ?

AH NON. J'Y CROIS PAS.

PARDONNEZ-MOI, C'EST VOUS LE COPAIN DE NADÈGE QUI FAIT DE LA BANDE DESSINÉE ?

AU SECOURS.

LUI-MÊME.

... ET DANS "L'ENCYCLOPÉDIE DES BÉBÉS" QUAND IL ESSAIE DE PASSER LES DOUANES AVEC SON PASSEPORT DE BÉBÉ. HA HA HA !

ET MOI J'ADORE QUAND LOUIS IL FAIT COMME ÇA...

"OH, ET PUIS ZUT. OUI. VOILÀ. JE SUIS UN HOMME SÉDUISANT."

HA HA !

HA HA HA

"LOUIS ROMANCIER PARANOÏAQUE AUX HÔPITAUX DE PARIS CATÉGORIE LÉGERS" HA HA HA !

QUEL GÉNIE, CE GOOSSENS.

APOPO 200 PIEDS !

15

PSSST! TU VIENS, ON Y VA ?

DÉJÀ?

WATER FESTIVAL

AVANT LA SAISON DES PLUIES, QUAND LA CHALEUR DEVIENT INSUPPORTABLE, LE PAYS CÉLÈBRE LA "FÊTE DE L'EAU" QUI CORRESPOND AU NOUVEL AN BOUDDHIQUE.

TRADITIONNELLEMENT, ON SE PURIFIE DE NOS MAUVAISES ACTIONS EN SE FAISANT VERSER UN PEU D'EAU SUR LA NUQUE.

CHEZ NOS VOISINS

LES FESTIVITÉS SE DÉROULENT SUR 4 JOURS.

JOUR 1 :

CAMIONNETTE

RÉSERVE D'EAU AVEC UN BLOC DE GLACE À L'INTÉRIEUR.

ET DES PISTOLETS À EAU.

AUJOURD'HUI, C'EST AVEC DES LANCES DE POMPIERS QU'ON SE FAIT ARROSER.

LES VÉHICULES EMPRUNTENT UN PARCOURS DE FAÇON À SE RECEVOIR UN MAXIMUM DE FLOTTE SUR LA TÊTE.

ILS PASSENT JUSTE EN FACE DE LA MAISON ET TOURNENT PLUS LOIN SUR LA RUE PRINCIPALE OÙ DES STANDS CONSTRUITS POUR L'OCCASION DÉVERSENT TOUT CE QU' ILS PEUVENT POMPER DU LAC.

SHWE DAGON CENTER

DÈS LE DÉBUT DE L'APRÈS-MIDI, LA CIRCULATION EST AU POINT MORT. C'EST L'EMBOUTEILLAGE GÉNÉRAL.

J'ABANDONNE LE VÉHICULE POUR CONTINUER À PIED.

RHÂ ! ELLE EST GLACÉE !

SELON LA CONSIGNE, IL NE FAUT PAS ARROSER LES MOINES ET LES POLICIERS.

HOU ! QUE ÇA FAIT DU BIEN.

QUEL DÉFOULEMENT ! C'EST UN DES RARES MOMENTS DE L'ANNÉE OÙ LES BIRMANS SONT AUTORISÉS À SE REGROUPER ET FAIRE LA FÊTE.

TIENS, J'Y PENSE. IL Y A LA MAISON DE LA "DAME"* PAR LÀ-BAS. AVEC TOUS LES DÉCIBELS QUE CRACHENT CES HAUT-PARLEURS, ELLE DOIT BIEN NOUS ENTENDRE. TOUTE SEULE DANS SA MAISON...

* AUNG SAN SUU KYI

JOUR 2 — JE LAISSE PASSER L'OPTION ARROSÉ POUR AUJOURD'HUI ET J'ESSAIE LE CÔTÉ ARROSEUR

C'EST PAS MAL NON PLUS.

← SAUTERELLES GRILLÉES

EH LÀ !

JE M'ÉTAIS PROMIS D'ESSAYER ÇA AU MOINS UNE FOIS PENDANT MON SÉJOUR.

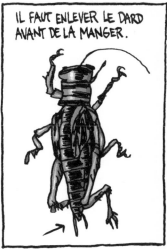

IL FAUT ENLEVER LE DARD AVANT DE LA MANGER.

SCROUNCH SCROUNCH

MMM,... EN FAIT, C'EST PAS TERRIBLE.

C'EST MÊME UN PEU DÉGUEULASSE.

TU VEUX ESSAYER TOI AUSSI? TIENS.

ALORS, QU'EST-CE QUE TU EN P...

ZUT ! UN T-SHIRT SEC !

118

JOUR 3

À TOUT DE SUITE.

HA HA HA HA

JE FAIS UN TOUR À VÉLO DU CÔTÉ DES ZONES MOINS FRÉQUENTÉES.

OH! UN ÉTRANGER!

C'EST BEAUCOUP PLUS CALME. DES PETITES FAMILLES ATTENDENT DEVANT LEUR MAISON. ELLES ME FONT STOPPER POUR ÊTRE CERTAINES DE PAS ME RATER.

À MON RETOUR, LA GRILLE EST FERMÉE ET NOTRE GARDIEN EST DANS TOUT SES ÉTATS.

QUELQU'UN S'EST FAIT POIGNARDER JUSTE EN FACE DE LA MAISON, LA POLICE A ARRÊTÉ L'AGRESSEUR ET IL SE TROUVE QUE LA VICTIME ÉTAIT UN TRAVESTI.

SANS BLAGUE.

119

JE RESTERAIS BIEN PLANQUÉ CHEZ MOI AU SEC TOUTE LA JOURNÉE MAIS JE DOIS ME RENDRE AU BUREAU DE MSF POUR VÉRIFIER SI, CHEZ EUX, L'INTERNET FONCTIONNE.

À LA MAISON C'EST LA PANNE ET J'ATTENDS UN MESSAGE IMPORTANT.

BONS ET LOYAUX SERVICES

ET VOILÀ !

JE TERMINE L'ALBUM POUR ENFANTS QUE J'AVAIS COMMENCÉ AVANT DE PARTIR.

AÏE !

MALGRÉ UNE GRANDE QUANTITÉ D'ANTI-INFLAM-MATOIRES, J'AI TOUJOURS LE BRAS EN COMPOTE.

JE VAIS DONC M'AUTORISER UN PEU DE CONGÉS MALADIE.

YES.

C'EST-À-DIRE : CHERCHER DE L'INSPIRATION...

... ME SOIGNER

... ET BOUQUINER TRANQUILLEMENT.

DANS UN QUARTIER RECULÉ, JE TOMBE SUR UNE RARETÉ. STATIONNÉE DEVANT UN VIEIL HÔTEL, UNE DAIMLER GIGANTESQUE ET À MOITIÉ ROUILLÉE SEMBLE ATTENDRE DEPUIS L'INDÉPENDANCE LE RETOUR DE SON PROPRIÉTAIRE.

APRÈS QUELQUES RECHERCHES, IL S'AGIT DU MODÈLE DAIMLER DS420 LIMOUSINE DE 1968.

J'ÉCOURTE UN PEU MON PROGRAMME DE REMISE EN FORME. JE FAIS QUELQUES LONGUEURS MAIS LE COEUR N'Y EST PAS.

JUSTE À CÔTÉ, UN GROUPE D'OUVRIERS RÉPARE LES DÉGÂTS CAUSÉS PAR LE DÉRACINEMENT D'UN PALMIER.

"ET LA VIE PRIT SES RACINES, SON COURS, SA ROUTINE PARMI LES DÉCORS ET LES PERSONNAGES D'UN SONGE".

JOSEPH KESSEL EN BIRMANIE DANS LA VALLÉE DES RUBIS, 1955.

122

AVEC FRONTIÈRES

ASIS EST DE RETOUR. IL A RENCONTRÉ LE RE-PRÉSENTANT DU KNU (KAREN NATIONAL UNION) POUR LE METTRE AU COURANT DES ACTIVITÉS QUE MSF COMPTE FAIRE DANS LA RÉGION KAREN.

TIENS, DES NOU-VELLES FRAÎCHES.

SUPER.

DANS LE BANGKOK POST, ON APPREND QU'IL Y A EU 4 ET NON PAS 3 EXPLOSIONS À RANGOUN ET QU'UN TÉMOIN OCULAIRE PARLE D'AU MOINS 40 VICTIMES DANS UN SEUL ENDROIT, CONTRAIREMENT AUX 11 TOTALISÉES PAR LES AUTORITÉS BIRMANES.

PFF!

ON SAURA JAMAIS QUI A FAIT LE COUP.

ALORS, LA THAÏLANDE, ÇA S'EST BIEN PASSÉ?

MISSION ACCOMPLIE, ILS VONT NOUS LAISSER PASSER DANS LES RÉGIONS QU'ILS CONTRÔLENT.

COOL.

EN THAÏLANDE, UNE ÉQUIPE DE MSF TRAVAILLE DEPUIS 1983 DANS UN CAMP DE RÉFUGIÉS KARENS DE 40 000 PERSONNES.

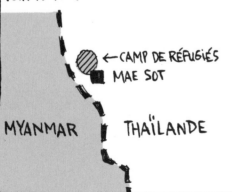

← CAMP DE RÉFUGIÉS MAE SOT

MYANMAR THAÏLANDE

LORS DE SES CONSULTATIONS EXTERNES, L'ÉQUIPE MÉDICALE DE MSF A RÉGULIÈREMENT FRANCHI EN DOUCE LA FRONTIÈRE POUR VENIR EN AIDE AUX BIRMANS DE L'AUTRE CÔTÉ.

1
2
3

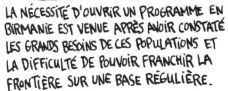

LA NÉCESSITÉ D'OUVRIR UN PROGRAMME EN BIRMANIE EST VENUE APRÈS AVOIR CONSTATÉ LES GRANDS BESOINS DE CES POPULATIONS ET LA DIFFICULTÉ DE POUVOIR FRANCHIR LA FRONTIÈRE SUR UNE BASE RÉGULIÈRE.

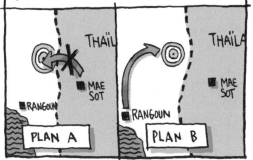

THAÏL
RANGOUN
MAE SOT
PLAN A

THAÏLA
RANGOUN
MAE SOT
PLAN B

AH BON, ET C'EST POUR ÇA QUE VOUS ÊTES ICI ?

VOILÀ, MAIS JUSQUE-LÀ ON N'A PAS PU ENCORE SE RENDRE LÀ OÙ ON VOULAIT...

TU PRENDS TES ANTI-INFLAMMATOIRES ?

OUI, J'AI MÊME ARRÊTÉ LE DESSIN POUR BIEN FAIRE.

TU VOUDRAIS PAS JETER UN COUP D'ŒIL À NOTRE ORDINATEUR ? ON A UN PROBLÈME BIZARRE.

OUI BIEN SÛR, QU'EST-CE QUI SE PASSE ?

DEPUIS QUELQUES JOURS, TOUS LES MESSAGES QU'ON ENVOIE VERS MSF-FRANCE NOUS REVIENNENT. POUR LES AUTRES ADRESSES, ÇA MARCHE, Y'A QUE CELLE-LÀ QUI PASSE PAS. POURTANT ILS ONT PAS CHANGÉ LEUR ADRESSE, C'EST TOUJOURS LA MÊME, J'AI VÉRIFIÉ... UN VIRUS PEUT-ÊTRE ?

NON, LES VIRUS Y FONT PAS COMME ÇA.

C'EST COMME QUI DIRAIT UN PEU SUSPECT COMME COMPORTEMENT. JE VAIS ESSAYER AU CAFÉ INTERNET POUR VOIR SI LÀ-BAS ÇA PASSE.

IL FAUDRAIT DÉBLOQUER ÇA RAPIDEMENT. ON A DES DOCUMENTS À LEUR SOUMETTRE.

124

CURIEUX, ICI ÇA MARCHE.

VOYONS VOIR, SI ON PROCÈDE PAR ÉLIMINATION, QU'EST-CE QUI PEUT BIEN ÊTRE LA CAUSE DE CE PROBLÈME ?

JE PENSE QUE VOTRE FOURNISSEUR D'ACCÈS A MIS UN FILTRE POUR AVOIR ACCÈS À VOS MESSAGES PROVENANT DE CETTE ADRESSE, SAUF QU'IL DOIT Y AVOIR UN "BUG" DANS LEUR SYSTÈME ET ÇA BLOQUE VOTRE COURRIER.

TU POURRAIS LES APPELER ?

APRÈS UNE HEURE D'ÉPROUVANTES EXPLICATIONS TÉLÉPHONIQUES, ON ME DIT DE ME DÉPLACER.

CAN I SPEAK TO A TECHNICIAN ?

HELLO ?

NO, MY ADDRESS IS GOOD !

YES.

HELLO ?

EN BIRMANIE, IL Y A DEUX FOURNISSEURS D'ACCÈS, LE PREMIER APPARTIENT À UN MINISTRE ET L'AUTRE À SON FILS.

MPT MAIL

C'EST ICI.

MERCI PAO.

DEPUIS LES EXPLOSIONS DU MOIS DERNIER, LA SÉCURITÉ EST AU MAXIMUM PARTOUT. JE DOIS ÉCRIRE MA REQUÊTE SUR UN BOUT DE PAPIER QU'ON TRANSMET À L'INTÉRIEUR.

ON NOUS LAISSE PASSER LE PREMIER GRILLAGE. J'ATTENDS LA VENUE D'UN TECHNICIEN AVEC TOUS CEUX QUI ONT DES PROBLÈMES AUJOURD'HUI.

ON A REÇU UN MESSAGE TROP GROS. ON N'ARRIVE PAS À LE TÉLÉCHARGER. JE VOUDRAIS JUSTE QU'ILS L'EFFACENT.

Y'A UN PETIT PROGRAMME QUI PEUT FAIRE ÇA. JE VOUS LE NOTE SI VOUS VOULEZ.

ARRIVE MON SUPER TECHNICIEN QUI N'Y COMPREND RIEN.

VOYEZ-VOUS, TOUS LES MESSAGES QU'ON ESSAIE D'ENVOYER SUR UNE CERTAINE ADRESSE NOUS REVIENNENT.

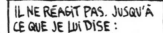

IL NE RÉAGIT PAS. JUSQU'À CE QUE JE LUI DISE :

EN FAIT, JE CROIS QUE VOTRE SYSTÈME DE FILTRAGE DÉCONNE.

ET VOILÀ. SÉSAME OUVRE-TOI, ON EST CONVIÉ DANS LA FORTERESSE DE L'INTERNET.

JE RENCONTRE UNE TECHNICIENNE, ELLE PREND EN NOTE L'ADRESSE DÉFECTUEUSE ET TOUT RENTRE DANS L'ORDRE.

SOUVENT IL NOUS ARRIVE DE RECEVOIR DES MESSAGES AVEC UNE SEMAINE DE RETARD. MAINTENANT JE COMPRENDS POURQUOI.

QU'EST-CE QUI A BIEN PU LES POUSSER À VOULOIR LIRE NOS MESSAGES ?

IL DOIT Y AVOIR QUELQUE CHOSE QUI LES A ALERTÉS DANS NOS VIEUX E-MAILS.

AH! C'EST PEUT-ÊTRE CELUI-LÀ ?

DE : MSY TRNG
A : ASSIS DAS
DATE : 28/05/2005
SUJET : RENCONTRE AVEC LE CHEF DU KNU

DEAR AGS

C'EST QUOI DÉJÀ, LE KNU ?

C'EST UN GROUPE IMPORTANT DE RÉSISTANTS QUI SE BATTENT DANS LES MONTAGNES CONTRE LE RÉGIME DEPUIS DES LUSTRES.

EH BEN VOILA, Y FAUT PAS ALLER CHERCHER PLUS LOIN, C'EST ÇA. ILS DOIVENT FILTRER DES MOTS COMME KNU, CHEF OU RENCONTRE.

IL FAUDRAIT SONGER À ÊTRE PLUS DISCRET EN UTILISANT UN CODE PAR EXEMPLE.

UN CODE COMME CELUI QU'UTILISAIT LA RÉSISTANCE SUR LES ONDES DE LA BBC.

NOUS ON FAIT GAFFE, MAIS C'EST AU SIÈGE À PARIS QU'ILS SE RENDENT PAS TOUJOURS COMPTE QU'ON EST SUR ÉCOUTE.

ALLÔ! ALLÔ! PARIS! ICI RADIO-LONDRES, LES FRANÇAIS PARLENT AUX FRANÇAIS... "GABRIELLE VOUS ENVOIE SES AMITIÉS"

ET ÇA VEUT DIRE QUOI ?

JE SAIS PAS, MAIS C'EST JOLI, NON ?

LA SAISON DES PLUIES EST ARRIVÉE D'UN COUP.

TIENS.

ON DIRAIT

QU'IL VA

PLEU

VOIR.

LES OISEAUX

J'AI TOUJOURS ASSOCIÉ LES CORBEAUX AUX PAYS FROIDS MAIS J'AVAIS TORT, LA BIRMANIE EN EST REMPLIE.

REGARDE LÀ-HAUT.

EN VOILÀ UN AUTRE.

COBO.

C'EST PAS UN HASARD S'IL Y EN A AUTANT, ILS FONT OFFICE DE VIDE-ORDURES.

ÇA Y EST, ON A LANCÉ TOUT LE PAIN RASSIS.

ON VA SE PRÉPARER POUR ALLER À L'ÉCOLE MAINTENANT.

ÉCOL.

TAKSI

CE MATIN, OUI.

TIENS, C'EST LA JOURNÉE DES POUBELLES AUJOURD'HUI.

UNE FOIS PAR SEMAINE, UN CAMION PASSE PRENDRE LES ORDURES. TOUT LE VOISINAGE EST AU RENDEZ-VOUS.

CHAQUE MAISON REJETTE CE QU'ON N'ARRIVE PAS À BRÛLER DANS L'ARRIÈRE-COUR ET TOUT CE QUE LES CORBEAUX ET LES CHIENS N'ONT PAS VOULU.

ENFIN, Y'EN A QUI DOIVENT PAS RECYCLER GRAND-CHOSE PARCE QUE L'ODEUR EST ABSOLUMENT ÉPOUVANTABLE.

HOU LÀ... AVEC LA CHALEUR QU'IL FAIT, ÇA DOIT FERMENTER À UNE VITESSE LÀ-DEDANS... MMM.

RHÁ! LES PAUVRES QUI PATAUGENT TOUTE LA JOURNÉE DANS CETTE BOUILLIE. MAIS COMMENT ILS SUPPORTENT CETTE PUANTEUR?

FINALEMENT SUR LES CINQ SENS QU'ON A, Y'A QUE LES YEUX QUI SE REPOSENT DE TEMPS EN TEMPS AVEC LES PAUPIÈRES. LES AUTRES Y SONT TOUJOURS EN ALERTE.

C'EST MAL FOUTU.

TAKSİİ!

À DROITE ICI.

ICI ICI!

IL Y A UNE PETITE MATERNELLE FRANÇAISE OÙ ON A INSCRIT LOUIS. IL EST ENCORE UN PEU PETIT MAIS ÇA LUI PLAÎT BEAUCOUP.

EH BEN !

HÉ ! MAIS Y'AVAIT PAS UN FILM D'HITCH-COCK COMME ÇA QUI SE TERMINAIT MAL ?

MMM... DEVRAIS-JE COURIR ?

PREMIÈRE VISITE DE TERRAIN

JE VAIS ENFIN POUVOIR ME RENDRE SUR LE TERRAIN ET VOIR DE QUOI ONT L'AIR CES MISSIONS DONT J'ENTENDS PARLER DEPUIS MON ARRIVÉE.

CHAUSSETTES ?

OUI.

BONNET ?

BAH, NON... J'AI PAS. C'EST NÉCESSAIRE ?

IL SEMBLERAIT QUE ÇA S'EST DÉTENDU DU CÔTÉ DU GOUVERNEMENT ET COMME J'INSISTAIS POUR Y ALLER, C'EST LE MOMENT OÙ JAMAIS.

AH AH ! AVENTURE QUAND TU NOUS TIENS.

JE N'AI PAS DE PERMIS DE VOYAGE MAIS ÇA NE POSE PAS DE PROBLÈME POUR LA PREMIÈRE PARTIE DU TRAJET, MOULMEIN EST UNE DESTI-NATION TOURISTIQUE. POUR LE RESTE, JE VOYAGERAI DANS LA VOITURE MSF QUE LES AUTORITÉS NE CONTRÔLENT PAS SOUVENT.

THAÏLAN

YANGOUN → MOULMEIN → KAWKA REIK

MUDON

ON ARRIVERA AU PETIT MATIN APRÈS UNE NUIT D'AUTOBUS.

DÈS LA SORTIE DE LA VILLE, UN PREMIER POSTE DE CONTRÔLE.

QUELQUES HEURES PLUS TARD, IL Y EN AURA UN SECOND ET ÇA CONTINUERA COMME ÇA TOUTE LA NUIT. ET PARFOIS IL FAUT DESCENDRE DU BUS.

AH NON! PLEIN LE CUL. ILS ONT QU'À VENIR ME CHERCHER ICI.

ღ ღ ღ ღ ღ !

RZZZ...

UNE FOIS, ILS ONT GARDÉ UN DES PASSAGERS. SON FILS EST RESTÉ DANS LE BUS AVEC SON ONCLE OÙ QUELQU'UN DE LA FAMILLE À CE QU'IL SEMBLAIT. BEAUCOUP D'INQUIÉTUDE SE LISAIT SUR CES DEUX VISAGES QUAND ON A DÉMARRÉ.

EN GROS, LE VOYAGE SERAIT À MOITIÉ MOINS LONG SI ON NE PASSAIT PAS TOUS CES CONTRÔLES.

J'AI FINALEMENT REGRETTÉ DE NE PAS AVOIR DE BONNET. LA CLIMATISATION TOURNE AU MAXIMUM DURANT TOUT LE TRAJET.

Y'EN A QUAND MÊME QUI S'ENDORMENT EN MANCHES COURTES.

ÇA ME DÉPASSE.

RAJOUTÉE À L'AMBIANCE POLAIRE, LA TÉLÉ PROPOSE À CEUX QUI N'ARRIVENT PAS À FERMER L'OEIL, DES FEUILLETONS LOCAUX ET DES CLIPS TOUT AUSSI LOCAUX. AVEC UN NIVEAU SONORE À PLEINE PUISSANCE, COMME ON AURAIT PU S'EN DOUTER.

MOULMEIN.

ALORS, L'AVENTURIER ?

FFFFFFRAIS COMME UNE ROSE.

À L'ENTRÉE DE LA VILLE, ON PEUT ADMIRER UN MONUMENT TRÈS LAID QUI DOIT DATER DE L'ÉPOQUE DITE "SOCIALISTE" DU PAYS.

ON Y VOIT CINQ HOMMES MAIN DANS LA MAIN. À UNE EXTRÉMITÉ, UN OUVRIER AVEC SON MARTEAU ET À L'AUTRE, UN PAYSAN ET SA FAUCILLE.

LES TROIS AU MILIEU SONT ARMÉS. UN SOLDAT, UN POLICIER ET, AU CAS OÙ ÇA NE SUFFIRAIT PAS, UN AUTRE SOLDAT. TOUS LES CINQ ONT LE SOURIRE AUX LÈVRES.

3 SOLDATS POUR 2 CIVILS. MIS À PART LE SOURIRE POUR LES DEUX DU BOUT, C'EST UNE REPRÉSENTATION ASSEZ FIDÈLE DE LA FAÇON DONT LE PAYS FONCTIONNE, ME SEMBLE-T-IL.

JE COMPRENDS PAS, ILS AURAIENT DÛ ÊTRE LÀ. ILS DEVAIENT VENIR NOUS CHERCHER... BON, PAS LE CHOIX, ON VA PRENDRE LE BUS LOCAL EN ESPÉRANT QUE TU NE TE FASSES PAS CONTRÔLER.

ALL RIGHT.

QUAND JE PENSE QU'À 19 ANS, GEORGE ORWELL TRAVAILLAIT ICI COMME SERGENT DE LA POLICE IMPÉRIALE. L'ATTITUDE COLONIALE L'A TELLEMENT DÉGOÛTÉ QU'IL A DÉSERTÉ LORS D'UN CONGÉ EN EUROPE.

SI J'ÉTAIS PAS AUSSI CREVÉ, J'ESSAIERAIS DE REPÉRER UNE MAISON DE 1903 POUR POUVOIR ME DIRE QU'IL A DÛ PASSER PAR LÀ, EXACTEMENT COMME MOI EN CE MOMENT.

ON ARRIVE À TROUVER, NON SANS DIFFICULTÉS, LE BON BUS POUR SE RENDRE À MUDON.

LA ROUTE VAUT LE COUP DANS CE COIN DU PAYS, PARAÎT-IL, MAIS MALHEUREUSEMENT JE N'AI PAS PU EN PROFITER.

TOUT D'ABORD, PARCE QUE CES MINI-BUS SONT RECOUVERTS SUR LEUR MOITIÉ SUPÉRIEURE PAR UNE BÂCHE QUI EMPÊCHE DE VOIR QUOI QUE CE SOIT.

ET QU'ENSUITE JE ME SUIS COINCÉ UNE POUSSIÈRE DANS L'OEIL JUSTE AVANT DE MONTER. LE MOINDRE MOUVEMENT DU GLOBE OCULAIRE ME FAIT ATROCEMENT MAL. JE PASSE LE TRAJET LA TÊTE ENTRE LES MAINS POUR DONNER L'IMPRESSION QUE JE SUIS JUSTE FATIGUÉ.

AU BOUT DE CE QUI M'A SEMBLÉ TROIS HEURES, ON ARRIVE À DESTINATION.

MISÈRE.

C'EST JUSTE LÀ.

HÉ! ATTENDS!

MSF LOUE UNE MAGNIFIQUE MAISON EN TECK. ELLE A APPARTENU AUX ANGLAIS À L'ÉPOQUE OÙ LA BASSE BIRMANIE AVAIT ÉTÉ ANNEXÉE À L'INDE. ELLE FUT ENSUITE RÉQUISITIONNÉE PAR LES JAPONAIS DURANT L'OCCUPATION.

ILS Y ONT CONDUIT DES INTERROGATOIRES DE PRISONNIERS QUI N'EN SONT PAS TOUJOURS RESSORTIS VIVANTS. L'ENDROIT EST, DIT-ON, TRUFFÉ DE FANTÔMES, ET C'EST POURQUOI LES HABITANTS DU COIN HÉSITENT À VENIR CONSULTER ICI.

KENTARO, LE MÉDECIN JAPONAIS EN POSTE À MUDON, M'OSCULTE L'ŒIL ET ME DONNE UNE POMMADE POUR CALMER MES SOUFFRANCES.

OUF! MERCI. C'EST BIEN PRATIQUE DE VOYAGER AVEC DES MÉDECINS SANS FRONTIÈRES. JE SAIS PAS DANS QUEL ÉTAT ON ME RETROUVERAIT SI J'ÉTAIS AVEC LES CLOWNS SANS FRONTIÈRES...

HA HA HA!

ÇA VOUS FAIT PAS RIRE? BON, J'AI RIEN DIT.

JE LAISSE NADÈGE À SON TRAVAIL ET JE TROUVE UN VÉLO POUR EXPLORER LES ENVIRONS.

JE TOMBE SUR UN VILLAGE TRÈS MIGNON. JARDIN ET CLÔTURE DEVANT CHAQUE HABITATION.

DE VRAIS PETITS COTTAGES ANGLAIS.

LES HABITANTS DU COIN ONT TROUVÉ UN SYSTÈME ASSEZ INGÉNIEUX POUR SE CONSTRUIRE DES TOITS IMPERMÉABLES.

ILS FONT SÉCHER DES ÉNORMES FEUILLES...

QU'ILS ATTACHENT SUR DES CHASSIS EN BOIS...

COMME ON DISPOSE LES TUILES SUR LES VIEUX TOITS EUROPÉENS.

ON DÉJEUNE DANS UN DES QUATRE RESTAURANTS QUE CONTIENT LA VILLE, DONT UN, SITUÉ DERRIÈRE UNE VIEILLE MAISON COLONIALE, QUI FAIT AUSSI BAR LE SOIR AVEC DU WHISKY LOCAL PAS CHER DU TOUT MAIS QUI DONNE UN DE CES MAL DE CRÂNE... HOU LÀ !

POUR COMMANDER, C'EST SIMPLE, BOEUF, POULET OU POISSON.

JE VAIS PRENDRE ÇA.

C'EST PAS TRÈS BON.

NON, C'EST PAS TRÈS BON.

ÇA FAIT LONGTEMPS QUE TU ES LÀ ?

BIENTÔT UN AN.

EH BEN, BRAVO !

TOUTES MES FÉLICITATIONS.

139

ON PASSE ENSUITE DANS LE DEUXIÈME ENDROIT LE PLUS VISITÉ DE LA VILLE: LE TÉLÉPHONE PUBLIC.

MSF LOUE UNE LIGNE DANS L'ARRIÈRE-BOUTIQUE POUR RÉCUPÉRER LES E-MAILS.

C'EST LE CAFÉ INTERNET OÙ IL FAUT APPORTER SON ORDINATEUR, C'EST ÇA ?

DANS L'APRÈS-MIDI, ON M'ABANDONNE POUR FAIRE LA RONDE DES CLINIQUES MOBILES ENVIRONNANTES.

JE PEUX VENIR AVEC VOUS ?

NON. T'AS PAS DE VISA DE DÉPLACEMENT. C'EST TROP RISQUÉ.

PFF!...

TIENS, LES MOTOS SONT AUTORISÉES DANS LE COIN.

LE SOIR, KENTARO NOUS CUISINE UN REPAS JAPONAIS AVEC DES ALIMENTS QU'IL A RAPPORTÉS DIRECTEMENT DE LÀ-BAS LORS DE SON DERNIER CONGÉ.

C'EST UN RÉGAL, JE TERMINE LES PLATS QUI TRAÎNENT, NOTAMMENT DES OEUFS DE POISSONS AUX ALGUES QUE JE N'OUBLIERAI PAS DE SI TÔT.

AAAAH-RI-GA-TO!

CONTRAIREMENT À LA CAPITALE, ICI ON EST DANS UNE ZONE DE PALUDISME INTENSE. IL Y A DES MOUSTIQUAIRES PRÉVUES POUR CHAQUE CHAMBRE...

pchit pchit pchito

ARRÊTE, ON SUFFOQUE.

MAIS COMME JE NE SUPPORTE PAS D'ÊTRE ENTIÈREMENT ENFERMÉ QUAND JE DORS, JE PRENDS QUELQUES PRÉCAUTIONS.

TU SAIS QUE TU NE SUIS PAS LE PROTOCOLE MSF?

AAAH BON?

AU PETIT MATIN, ON FAIT LE TOUR D'UN LAC BORDÉ PAR UN MONASTÈRE. UN LAC OÙ SEULS LES HOMMES PEUVENT SE BAIGNER. JE SAIS PAS EXACTEMENT POURQUOI MAIS JE SAIS QUE LE MONASTÈRE A QUELQUE CHOSE À VOIR AVEC CETTE DÉCISION.

EH OUI, MÊME CHEZ CES BRAVES BOUDDHISTES, LA FEMME EST CONSIDÉRÉE COMME IMPURE.

IL FAIT CHAUD, TU TROUVES PAS?

DANS UN DES BOUIS-BOUIS QUI SURPLOMBENT LE LAC, ON SE FAIT SERVIR LE MEILLEUR DES 'MOTEE' (PETIT DÉJEUNER TRADITIONNEL) QUE J'AIE MANGÉ. L'ENDROIT EST VIDE, LES TOURISTES INEXISTANTS. C'EST, J'IMAGINE, LE SEUL AVANTAGE D'UNE ZONE CONTRÔLÉE PAR DES MILITAIRES.

ON REPREND LA ROUTE POUR KAWKAREIK. QUELQUES HEURES EN DIRECTION DE LA FRONTIÈRE THAÏLANDAISE.

ET LÀ ENCORE, PAS DE CHANCE POUR LE PAYSAGE, JE SUIS À L'ARRIÈRE, COINCÉ AU MILIEU.

MAIS À L'ENTRÉE DE LA VILLE, J'ENTR'APERÇOIS QUELQUE CHOSE COMME UNE CASERNE DE POMPIERS. ET JE CROIS Y VOIR DES MODÈLES DE CAMIONS DE LA 2e GUERRE MONDIALE.

KAWKAREIK EST ENCORE PLUS PETIT QUE MUDON, ÇA COMMENCE À RESSEMBLER AU FAR WEST.

CETTE FOIS-CI, C'EST UN MÉDECIN IRANIEN, BABAK, QUI NOUS ACCUEILLE. IL EST EN POSTE ICI DEPUIS QUELQUES MOIS AVEC SON ÉPOUSE.

À KAWKAREIK, L'ÉLECTRICITÉ SE FAIT RARE. IL Y A UNE GÉNÉRATRICE POUR LES ORDINATEURS.

LE FRIGO FONCTIONNE À L'ANCIENNE, AVEC DE LA GLACE QU'IL FAUT REMPLACER TOUS LES 2 JOURS.

VOLONTIERS.

UN PEU DE JUS ?

PLASTIQUE ISOLANT

ET LA FEMME DE MÉNAGE DOIT METTRE DE LA BRAISE DANS LE FER À REPASSER.

QUAND JE PENSE QUE MA MÈRE A CONNU ÇA DANS SA JEUNESSE GASPÉSIENNE.

MERDE, JE ME SENS PAS TRÈS BIEN.

JE PASSE LA JOURNÉE ET LA NUIT SUIVANTE À FAIRE L'ALLER-RETOUR ENTRE LES TOILETTES ET LE LIT.

LES AUTORITÉS EXAGÈRENT. JE NE PEUX PAS FAIRE TOURNER UNE CLINIQUE SI JE DOIS PASSER LA MOITIÉ DE MON TEMPS À LA CAPITALE. IL FAUT...

DIEU MERCI, CE N'EST PAS DES CHIOTTES TURQUES.

...ET JE NE PEUX PAS TOUJOURS DEMANDER AUX EMPLOYÉS LOCAUX DE SE RENDRE DANS DES ZONES SENSIBLES SANS NOTRE PRÉSENCE, C'EST LES...

HOULÀ!

T'ES BLANC COMME UN DRAP.

MERCI.

DOCTEUR BABAK ME PRESCRIT DE L'EAU SALÉE À BOIRE EN GRANDE QUANTITÉ ET DU PARACÉTAMOL.

MSF

LE LENDEMAIN, QUAND JE ME METS À SUER ET À TREMBLER, ON COMMENCE À S'INQUIÉTER DE MON SORT.

C'EST GRAVE, DOCTEUR?

ON ME FAIT UN "PARACHECK", UN PETIT OUTIL POUR DIAGNOSTIQUER RAPIDEMENT LE PALUDISME.

BONNE NOUVELLE, LE "PARACHECK" EST NÉGATIF. CE QUI VEUT DIRE QUE JE N'AI PAS LE PALU, OU TOUT AU MOINS JE N'AI PAS LA FORME LA PLUS VIRULENTE, LE FALCIPARUM, QUE SE BORNE À DÉPISTER CE GENRE DE TEST.

YOUPI.

POUR COMPLÉTER LE DIAGNOSTIC, ON M'ENVOIE UN TECHNICIEN DE LABORATOIRE (EN BLOUSE BLANCHE ET AVEC DES GANTS).

MINGALABA.

VOUS CHERCHEZ UNE ARME DE DESTRUCTION MASSIVE ?

MSF B.OR-Y

HÉ! TU SAVAIS QUE MALARIA ÇA VIENT DE MAL (MAUVAIS) ET ARIA (AIR)? ON CROYAIT QUE LES MAUVAISES ODEURS DES MARÉCAGES ÉTAIENT RESPONSABLES DE CETTE MALADIE.

C'EST SUPER INTÉRESSANT.

FINALEMENT, JE N'AVAIS RIEN DE GRAVE. C'EST BIEN LA PREMIÈRE FOIS DE MA VIE QUE JE ME SUIS SENTI HEUREUX DE N'AVOIR QU'UNE DIARRHÉE.

QUEL CHOUETTE WEEK-END.

145

J'AI JUSTE LE TEMPS AVANT NOTRE DÉPART, DE M'EXTIRPER DE MON LIT POUR ALLER FAIRE UN TOUR DANS CETTE VILLE QUE JE N'AI PAS ENCORE PU VISITER.

MSF

OUÏLLE, J'AI UN PEU L'ANUS EN FEU MAIS JE TIENS ABSOLUMENT À JETER UN COUP D'ŒIL À CETTE CASERNE DE POMPIERS.

ÇA EN VALAIT
LES EFFORTS.

ISUZU

TOYOTA

LES JAPONAIS ONT DÛ LES FAIRE
VENIR PENDANT LEUR COURTE
OCCUPATION, DE 1943 À 1945.

ENSUITE ON A REPRIS LE
BUS POUR RANGOUN, DANS
LEQUEL JE N'AI PAS FERMÉ
L'OEIL DE LA NUIT.

LE PREMIER
JUILLET

UNE SOIRÉE A ÉTÉ ORGANISÉE POUR CÉLÉBRER
LA FÊTE DU CANADA.

IL FAUT QUE JE SOIS À L'AUTRE BOUT DU MONDE POUR QUE J'AILLE FÊTER ÇA.

ILS ONT EU LA CURIEUSE IDÉE DE PRÉPARER
DES SPÉCIALITÉS CANADIENNES.

C'EST FOU LE NOMBRE DE CANADIENS QU'IL Y A DANS CE PAYS.

C'EST QUOI ÇA?

TOUT EST À PEU PRÈS IMMANGEABLE, AVEC
UNE MENTION SPÉCIALE POUR QUELQUE CHOSE
QU'ILS APPELLENT DE LA POUTINE.

BEUH! DÉJÀ QU'À L'ORIGINE C'EST PAS TERRIBLE.

LA VERSION TROPICALE, ÇA DOIT PAS ÊTRE TRISTE.

C'EST LORS DE CETTE SOIRÉE, APRÈS AVOIR
DISCUTÉ AVEC UNE EMPLOYÉE DU W.H.O.* AU
SUJET DE LA GRIPPE AVIAIRE, QUE JE ME SUIS
PROGRESSIVEMENT MIS À PANIQUER DURANT
LES DEUX MOIS À VENIR.

LA MENACE EST IMMINENTE.

LE VIRUS H5N1 EST EN TRAIN DE MUTER, C'EST UNE QUESTION DE TEMPS.

AVEC LA CENSURE DES INFORMATIONS ICI, ON NE SAURA RIEN DE CE QUI SE PASSE AVANT QUE ÇA SOIT TROP TARD.

ET QUAND L'ÉPIDÉMIE ÉCLATERA, LES AUTRES PAYS NE NOUS LAISSERONT PAS ENTRER.

ON SERA EN QUARANTAINE.

COINCÉS ICI!

*WORLD HEALTH ORGANISATION → ORGANISATION MONDIALE DE LA SANTÉ

INDONÉSIE, HONG KONG, VIÊT NAM. ÇA SE RAPPROCHE À TOUTE VITESSE.

À L'ONU ILS ONT DÉJÀ FAIT STOCKER DU "TAMIFLU" POUR TOUS LEURS EMPLOYÉS.

SI J'ÉTAIS TOI, J'ESSAIERAIS DE M'EN TROUVER AVANT QUE ÇA SOIT LA PANIQUE.

DU "TAMIFLU" ! IL NOUS FAUT DU "TAMIFLU" LE PLUS VITE POSSIBLE !!

GUY, JE TE PRÉSENTE MONSIEUR WINKEL QUI REPRÉSENTE LA COMMUNAUTÉ EURO-PÉENNE EN BIRMANIE.

SALUT, ÇA VA ?

TU SAIS SI MSF A FAIT VENIR DU "TAMIFLU" POUR SES EMPLOYÉS ? NON ? IL FAUT ABSOLUMENT ÉCRIRE À PARIS POUR QU'ILS NOUS EN ENVOIENT EN QUATRIÈME VITESSE !

PENDANT LE MOIS QUI SUIT, JE N'AI QU'UN SEUL SUJET DE CONVERSATION.

L'ÉPIDÉMIE VA NOUS TOMBER DESSUS !

DE QUOI ?

JE M'INFORME AUPRÈS DE MON AMBASSADE POUR CONNAÎTRE LA PROCÉDURE D'ÉVACUATION SANITAIRE.

QUOI, C'EST LES AMÉRICAINS QUI NOUS ÉVACUERAIENT ?

PFF... LA HONTE.

JE FAIS PRESSION SUR NADÈGE POUR QU'ELLE ALERTE MSF DE NOTRE SITUATION.

T'AS ÉCRIT À PARIS POUR LE TAMIFLU ?

C'EST FAIT.

JE PASSE MES JOURNÉES SUR INTERNET POUR SUIVRE LES DERNIERS DÉVELOPPEMENTS DE LA MALADIE.

J'ESSAIE D'OBTENIR LE MÉDICAMENT PAR DES AMIS QUI SE RENDENT À HONG KONG.

MAIS LES PHARMACIES SONT DÉJÀ EN RUPTURE DE STOCK, LÀ-BAS.

LA TÉLÉ S'Y MET AUSSI ET EN RAJOUTE UNE BONNE COUCHE.

...CE SERA PIRE QUE LA GRIPPE ESPAGNOLE AVEC SES 40 MILLIONS DE MORTS.

FINALEMENT, MSF ENVOIE À TOUTES LES SECTIONS ASIATIQUES DE QUOI TRAITER SES EMPLOYÉS.

VICTOIRE.

MAIS BON, RIEN NE PROUVE QUE ÇA MARCHE. C'EST PUREMENT HYPOTHÉTIQUE. À L'ORIGINE, C'EST UN MÉDICAMENT PRESCRIT CONTRE LES GRIPPES SAISONNIÈRES. C'EST À SE DEMANDER SI C'EST PAS LE LABO QUI ALIMENTE LA PSYCHOSE VU QU'IL EST L'UNIQUE FOURNISSEUR.

MIEUX VAUT SE PROTÉGER AVEC UN PETIT MASQUE EN TISSU SUR LA BOUCHE.

149

SAISON DES PLUIES
II

AUSTRALIAN CLUB

PETITS COURS
ENTRE AMIS

FAUTE DE POUVOIR DESSINER, JE ME RETROUVE AVEC BEAUCOUP DE TEMPS LIBRE. J'APPRENDS À UTILISER LA SOURIS AVEC LA MAIN GAUCHE ET JE BIDOUILLE DES EXERCICES POUR MON COURS D'ANIMATION.

CE DIMANCHE MATIN, ON SE RETROUVE CHEZ LE PLUS JEUNE DE MES ÉTUDIANTS. IL EST FONCTIONNAIRE ET PEUT DONC PROFITER D'UN APPARTEMENT BIEN SITUÉ AVEC ASSEZ D'ÉLECTRICITÉ POUR DONNER MON COURS SANS INTERRUPTION.

AUJOURD'HUI, ILS ÉTAIENT TOUS ASSIS PAR TERRE AVEC LEUR CARNET DE NOTES À LA MAIN. C'ÉTAIT TRÈS MIGNON, MAIS J'AI DEMANDÉ QUELQUES AJUSTEMENTS.

ET VOUS AVEZ TERMINÉ LES EXERCICES DE LA SEMAINE DERNIÈRE ?

NON.

PAS LE TEMPS.

NON.

LES JOIES DE L'ENSEIGNEMENT SONT PARTOUT LES MÊMES.

BON.

QU'EST-CE QU'ON FAIT ALORS ? JE VOUS MONTRE CE QUE J'AI FAIT ?

OUI.

OUI.

APRÈS AVOIR CONVENU DE SE REVOIR LE DI-
MANCHE PROCHAIN, ON SORT PRENDRE
UN CAFÉ.

ET CETTE FOIS VOUS
FEREZ VOS EXERCICES.

OUI.

BIEN
SÛR.

OUI.

SANS
FAUTE.

L'UN DEUX TRAVAILLAIT COMME DESSINATEUR
DANS UNE SOCIÉTÉ QUI EMPLOYAIT 300 ARTISTES
POUR PRODUIRE DES MANGAS CORÉENS À LA
CHAÎNE.

JE POURRAIS
VISITER ?

ÇA M'ÉTONNERAIT, LES
GENS DU 2ᵉ ÉTAGE NE
PEUVENT MÊME PAS
ALLER VOIR CEUX DU 3ᵉ.
TOUT EST TOP SECRET
LÀ-BAS.

DOMMAGE.

ON S'ARRÊTE DEVANT LE "TRADERS", UN DES PLUS GROS HÔTELS
DE LA CAPITALE.

CONSTRUIT PAR KHUN SA,
L'ANCIEN BARON DE L'OPIUM.

KHUN QUI ?

SA, KHUN SA. DE LA RÉGION
SHAN, AVEC SON ARMÉE DE 800
SOLDATS, IL A TENU TÊTE AU
RÉGIME TRÈS LONGTEMPS.

MAIS UNE RÉCOMPENSE DE 2 MILLIONS DE DOLLARS
A ÉTÉ OFFERTE PAR LES AMÉRICAINS POUR SA
CAPTURE. IL A ALORS CHOISI DE SE RENDRE
ET DE NÉGOCIER AVEC SES ANCIENS ENNEMIS,
LES MILITAIRES. DEPUIS, IL COULE DES JOURS
HEUREUX À RANGOUN.

ET CETTE CHAÎNE DE CAFÉS APPARTENAIT AU FILS DU PREMIER MINISTRE QU'ON A EMPRISONNÉ EN DÉCEMBRE DERNIER. ILS ONT FERMÉ QUELQUE TEMPS ET MAINTENANT ÇA A ÉTÉ REPRIS PAR LE FILS D'UN AUTRE GÉNÉRAL.

MÊME SI LES INFORMATIONS SONT CENSURÉES, LES BIRMANS CONNAISSENT BIEN LES MAGOUILLES ET LES ZONES D'OMBRE QU'ON AIMERAIT LEUR CACHER.

VOUS VENEZ SOUVENT ICI ?

C'EST LA PREMIÈRE FOIS.

ET SINON, VOUS FAITES COMMENT POUR AVOIR LA NOUVELLE VERSION DE TOUS LES PROGRAMMES INFORMATIQUES SUR VOS ORDINATEURS ?

C'EST LE MAGASIN LÀ-BAS.

J'Y PASSE FAIRE UN TOUR APRÈS LE CAFÉ.

CD WORLD

À L'INTÉRIEUR, DES CENTAINES DE CD CLASSÉS PAR CATÉGORIE. QUE DE LA COPIE PIRATÉE. TOUTES LES DERNIÈRES VERSIONS POUR LE PRIX D'UN CAFÉ.

OH LÀ LÀ !

LANGUES

MULTIMÉDIA

MÉDECINE

PLUGI

COMPOSITION

VOILÀ DE QUOI REMPLIR MON TEMPS LIBRE.

SUPER! JE POURRAI PERFECTIONNER MON ANGLAIS OU APPRENDRE À ME FAIRE UN SITE WEB OU BIEN FAIRE DU MONTAGE VIDÉO... C'EST PAS LE CHOIX QUI MANQUE !

TIENS, ILS ONT AUSSI UNE SECTION JEUX.

AH NON, PAS LE DERNIER WARCRAFT !

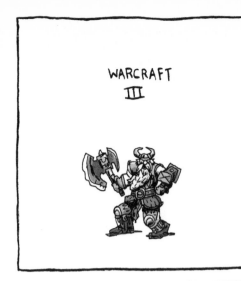

WARCRAFT
III

BON, AUJOURD'HUI J'AI DÉCIDÉ D'ÊTRE CONSTRUCTIF, MÊME SI J'AI TOUJOURS AUSSI MAL AU COUDE.

JE VAIS UTILISER LA MAIN GAUCHE POUR DESSINER.

POUR LE TEXTE, C'EST POSSIBLE, J'Y ARRIVE À PEU PRÈS. AVEC DE L'ENTRAÎNEMENT, JE M'EN SORTIRAI.

MAIS ALORS POUR LE DESSIN, C'EST PAS ÇA DU TOUT. ET JE VOIS PAS COMBIEN DE MOIS ÇA ME PRENDRAIT POUR Y ARRIVER.

BON, AUJOURD'HUI J'AI DÉCIDÉ D'ÊTRE CONSTRUCTIF, MÊME SI J'AI TOUJOURS AUSSI MAL AU COUDE.

JE VAIS DONC UTILISER MA MAIN GAUCHE ...

"... POUR ANÉANTIR L'ARMÉE DE L'ALLIANCE ET PASSER AU NIVEAU 12 DE LA CAMPAGNE DES ORCS.

FINALEMENT, J'AI JAMAIS APPRIS À DESSINER DE LA MAIN GAUCHE, MAIS JE SUIS RAPIDEMENT DEVENU AMBIDEXTRE DE LA SOURIS.

154

POSTES AVANCÉS
DE LA
TYRANNIE

CORÉE DU NORD

BIÉLORUSSIE

IRAN

CUBA

BIRMANIE

ZIMBABWÉ

UN AMI JOURNALISTE EST DE PASSAGE À LA MAISON. IL A ENTREPRIS DE FAIRE UN REPORTAGE SUR CHACUN DES "POSTES AVANCÉS DE LA TYRANNIE" SELON BUSH. IL DÉBUTE AVEC LA BIRMANIE.

POUR LA CORÉE DU NORD, ÇA RISQUE D'ÊTRE GALÈRE POUR Y ENTRER.

ON COMMENCE PAR UN TOUR DU VOISINAGE.

ET JUSTE APRÈS LE POSTE DE CONTRÔLE, IL Y A AUNG SAN SUU KYI QUI HABITE LÀ-BAS.

EN FAIT, LES BIRMANS NE PRONONCENT PAS SON NOM. ILS PRÉFÈRENT L'APPELER PLUS SIMPLEMENT "LA DAME". C'EST COMME POUR VOLDEMORT DANS HARRY POTTER QU'ON NE NOMME JAMAIS.

MPPE

ON PEUT PAS PASSER DE TOUTE FAÇON, TU VIENS ?

155

JE PROFITE D'AVOIR DE LA COMPAGNIE POUR VISITER QUELQUES ENDROITS TOURISTIQUES QUE J'AI PAS VUS.

Y PARAÎT QUE C'EST CE QUI SE FAIT DE PLUS GROS DANS LE GENRE PAGODE.

DES MOINES

DES FAMILLES QUI PIQUE-NIQUENT

ACCÈS INTERDIT AUX FEMMES

DES CRÉATURES

UN SQUATTER AVEC SA BÂCHE EN PLASTIQUE.

SHWE DAGON

EN EFFET, C'EST TRÈS GROS.

ET C'EST COUVERT D'OR.

T'AS REMARQUÉ LA FAÇON QU'ILS ONT DE TRANSPORTER LEUR PARAPLUIE?

IL Y A CEUX QUI LE COINCENT DANS LE DOS JUSTE À CÔTÉ DU PORTEFEUILLE.

ET PLUS CURIEUX, CEUX QUI LE LAISSENT PENDRE À LEUR COL DE CHEMISE.

ON S'ARRÊTE MANGER PLUS LOIN.

C'EST BON TOI?

NON, TOI?

NON.

ON CROISE UN MOINE ÉTRANGER DANS LA RUE. IL EST GIGANTESQUE, DES ENFANTS LE SUIVENT EN SAUTILLANT DERRIÈRE LUI.

IL A UNE TÊTE INCROYABLE.

J'ACHÈTE, SOUS LE MANTEAU, UN "TIME MAGAZINE" À UN PETIT GARÇON. JE SUIS INTRIGUÉ, IL Y A LA TÊTE DE LA "DAME" EN COUVERTURE. IL S'AGIT EN FAIT D'UN VIEUX NUMÉRO DE MAI 1990. JE ME SUIS FAIT ROULER.

TIME

MAIS FINALEMENT, C'EST ASSEZ PASSIONNANT À LIRE. ELLE VENAIT TOUT JUSTE DE REMPORTER LES ÉLECTIONS.

"POURRA-T-ELLE SORTIR SON PAYS DU MARASME ÉCONOMIQUE?" TITRAIT L'ÉDITORIALISTE.

PEU DE TEMPS APRÈS CE NUMÉRO, LA JUNTE A ANNULÉ LE SCRUTIN ET L'A ARRÊTÉE POUR TROUBLE PUBLIC.

16 ANS PLUS TARD, RIEN N'A CHANGÉ.

ANGUILLES

COMME IL M'ÉTAIT TOUJOURS IMPOSSIBLE D'ALLER VOIR LES MISSIONS DE MSF-FRANCE, J'AI DEMANDÉ L'AUTORISATION DE VISITER UNE DES CLINIQUES DE MSF-HOLLANDE.

C'EST JUSTE AU NORD DE LA VILLE, ON VA PRENDRE UN TAXI.

IL S'AGIT D'UNE CLINIQUE QUI S'OCCUPE PRINCIPALEMENT DES SÉROPOSITIFS.

C'EST JOLI.

UNE AMIE MÉDECIN NOUS SERT DE GUIDE.

ICI, C'EST L'ACCUEIL OÙ LES NOUVEAUX PATIENTS VIENNENT S'INSCRIRE.

AU FOND DE LA SALLE, IL Y A UNE MAMAN QUI ATTEND AVEC SON BÉBÉ DANS LES BRAS. IL EST TELLEMENT MAIGRE QUE JE NE PEUX PAS M'EMPÊCHER DE POSER DES QUESTIONS SUR SES CHANCES DE GUÉRISON.

AU FOND, LÀ-BAS ?

EH BIEN... ILS SONT LÀ DEPUIS QUELQUES JOURS ET L'ENFANT N'A TOUJOURS PAS PRIS DE POIDS. C'EST PAS BON SIGNE.

BON SANG, JE POURRAIS JAMAIS FAIRE CE BOULOT.

ON CONTINUE ?

LA VISITE EST PASSIONNANTE. MSF-HOLLANDE TRAITE UN NOMBRE IMPRESSIONNANT DE PATIENTS. JUSTE À RANGOUN, ILS ONT 3 CLINIQUES DE CETTE TAILLE ET PLUSIEURS AUTRES DANS LE RESTE DU PAYS. C'EST UNE DES PLUS GROSSES ET DES PLUS ANCIENNES O.N.G. QUI TRAVAILLE DANS LE PAYS.

ILS ONT MÊME UN PROGRAMME DE RÉINSERTION OÙ ILS EMPLOIENT DES ANCIENS PATIENTS POUR PEINDRE DES AFFICHES QU'ILS UTILISERONT POUR L'ÉDUCATION À LA SANTÉ.

ILS TRAITENT AUSSI LES MALADIES OPPORTUNISTES COMME LA TUBERCULOSE. D'AILLEURS, J'EN CROISE UN QUI CRACHE TOUT CE QU'IL PEUT QUAND JE SORS DES TOILETTES.

POUAH !

DÉGOÛTANT !

ON SE FAIT UNE PETITE BALADE AVANT DE REPRENDRE UN TAXI?

MMM... JE SAIS PAS...

HÉ! T'AS VU CE QU'ILS UTILISENT POUR PÊCHER L'ANGUILLE?

AU BOUT D'UN LONG MOMENT À ATTENDRE SOUS CET ARBRE, UN VOISIN NOUS PRÊTE UN PARAPLUIE...

SUIVI D'UN DEUXIÈME UN PEU PLUS TARD...

POUR FINALEMENT NOUS INVITER À S'ABRITER SOUS SON TOIT.

LA PETITE FAMILLE NOUS EST PRÉSENTÉE. ILS HABITENT À 6 LÀ-DEDANS !

ON NOUS SERT UN THÉ ET, APRÈS QUELQUES ÉCHANGES DE POLITESSE, LE SILENCE S'INSTALLE ET TOUS ENSEMBLE ON ÉCOUTE LA PLUIE TOMBER.

LE FILS PART EN VÉLO ET REVIENT AVEC QUELQU'UN QUI PARLE ANGLAIS.

HOW ARE YOU !

UN AUTRE HOMME ARRIVE QUI SE FAIT TRADUIRE NOTRE CONVERSATION. DANS CHAQUE SECTEUR SE TROUVE UN RE-PRÉSENTANT DU PARTI QUI SURVEILLE CE QUI SE PASSE.

TRÈS GENTIMENT, ON NOUS RACCOMPAGNE À UN TAXI.

ON PASSE PAR LE MUSÉE DE L'ARMÉE MAIS C'EST FERMÉ.

ATTENDS, LÀ-DESSUS, C'EST ÉCRIT QUE ÇA OUVRE JUSQU'À 4 HEURES, IL EST À PEINE 3 HEURES.

EN JETANT UN COUP D'OEIL DANS LE BUREAU DU GARDE-BARRIÈRE, J'APERÇOIS UN OBJET QUE J'AURAIS PLUTÔT IMAGINÉ VOIR À L'INTÉRIEUR DU MUSÉE.

UN MANIPULATEUR DE CODE MORSE ↘

ET TOUT PORTE À CROIRE QU'ILS S'EN SERVENT ENCORE VU QUE LES BORNES SONT CONNECTÉES !

ON TERMINE LA JOURNÉE DANS UN RESTAURANT PRÈS DE LA MAISON.

TIENS, ILS FONT DE L'ANGUILLE, TU VEUX ESSAYER ?

POURQUOI PAS.

MMM... C'EST PAS MAL.

ALORS, ÇA TE PLAÎT ?

T'AS VU AU MUSÉE LE TRUC POUR LE CODE MORSE SUR LE BUREAU DU GARDIEN ?

OUI, ILS SONT À LA FINE POINTE DE LA TECHNOLOGIE AVEC LEUR MATÉRIEL MILITAIRE.

IL FAUT VOIR LEURS CAMIONS, AUSSI, QUI TOMBENT EN MORCEAUX !

AVEC UNE ARMÉE AUSSI VÉTUSTE, ON SE DEMANDE COMMENT LA JUNTE PARVIENT À DEMEURER AU POUVOIR SANS ÊTRE INQUIÉTÉE.

PEUT-ÊTRE QU'EN EMPRISONNANT ET EN TORTURANT LES GENS, ÇA AIDE.

MMM OUI...

ÇA DOIT ÊTRE ÇA.

DANS LA SEMAINE QUI SUIVIT, J'AI BEAUCOUP SONGÉ À CETTE MAMAN ET CE PETIT BÉBÉ SI MAIGRE. QUAND J'AI CROISÉ MON AMIE MÉDECIN, J'AI VOULU SAVOIR COMMENT ILS ALLAIENT, MAIS VU LE NOMBRE DE PATIENTS QU'ILS TRAITENT, ELLE N'EN AVAIT PLUS LE SOUVENIR.

PFF! JE SUIS VANNÉ.

14 JUILLET

À L'ENTRÉE DE L'AMBASSADE, SUR UN DES MURS, IL Y A LA PHOTO D'UNE PLATE-FORME PÉTROLIÈRE.

MMM TRÈS JOLI.

ON IMAGINE BIEN DE QUI IL S'AGIT MAIS IL N'Y A RIEN POUR IDENTIFIER LA COMPAGNIE.

MMM...

LE CONSUL (À MOINS QUE CE NE SOIT L'AMBASSADEUR, JE N'AI PAS BIEN SAISI) ET SA DAME NOUS ACCUEILLENT.

MINGALABA.

LE DISCOURS →

m mm mmm m mm mm mm mm mm mm • mm mm mm mmm mm mm mmm mm mm D'ACCUEILLIR LA COLONIE FRANÇAISE m mm mm mm mm mm

COL

COLONIE?

COLONIE?

CROIX-ROUGE, ONU, TOTAL, MSF, LE TOUT-RANGOUN SE BOUSCULE DEVANT LE BUFFET.

S'CUZEZ

SAUMON

TERRINE DE CANARD

PÂTÉ DE CAMPAGNE

BAGUETTES

CORNICHONS

SANDWICHS

ALORS ÇA, J'ADORE.

UN PILOTE

Y'A UN COUPLE VRAIMENT CURIEUX.

WOW

ET POUR CEUX QUI AVAIENT CHOISI LE PÂTÉ DE CAMPAGNE, LE FEU D'ARTIFICE A DURÉ TOUTE LA NUIT.

AÏE.

LE MUSÉE
DES GEMMES

J'AI APPRIS UN TAS DE CHOSES SUR LES PIERRES PRÉCIEUSES APRÈS LA LECTURE DE "LA VALLÉE DES RUBIS" DE JOSEPH KESSEL (1955)

NOTRE AVENTURIER SE REND À MOGOK, AU CENTRE DE LA BIRMANIE, POUR Y SUIVRE LES NÉGOCIATIONS D'UN AMI BIJOUTIER.

LES PLUS BEAUX RUBIS DU MONDE SE TROUVENT EN BIRMANIE.

LE PLUS ROUGE D'ENTRE TOUS, LE ROUGE SANG DE PIGEON.

APRÈS UNE MINUTIEUSE INSPECTION, ON ACHÈTE LA PIERRE BRUTE DANS LAQUELLE SE TROUVERA (APRÈS LA TAILLE) SOIT UN TRÉSOR, OU SOIT RIEN DU TOUT. SEUL UN ŒIL ENTRAÎNÉ SAURA ÉCARTER CELLES QUI SERONT IMPARFAITES OU VOILÉES. ON RISQUE GROS DANS CE PETIT JEU DE POKER.

HÉ, VOUS SAVEZ CE QU'ON POURRAIT ALLER VISITER AUJOURD'HUI ?

GEM MUSEUM

GEM MUSEM

C'EST LÀ !

À PART LE DIAMANT, ON TROUVE TOUT CE QUI EST PRÉCIEUX ET SEMI-PRÉCIEUX DANS LES SOUS-SOLS DE CE PAYS.

SAPHIR   JADE   AMÉTHYSTE   ÉMERAUDE   AGATE

OH! HÉ, REGARDEZ, DU RUBIS BRUT.

DANS CHACUN DE CES PRÉSENTOIRS SE TROUVE UNE FORTUNE EN PIERRES PRÉCIEUSES.

CE QUI N'EMPÊCHE PAS LE MUSÉE DE NOUS GRATIFIER D'UN ÉCLAIRAGE AU NÉON ET DE FILS ÉLECTRIQUES SCOTCHÉS SUR LA MOQUETTE.

HA! C'EST GRANDIOSE!

EN SORTANT, ON PASSE DEVANT UN ALIGNEMENT D'ÉNORMES BLOCS DE JADÉITE QUI ARRIVENT DIRECTEMENT DES MINES DU NORD.

ON LES DISPOSE AINSI EN VUE D'UNE DES VENTES ANNUELLES QU'ORGANISE LE RÉGIME.

LA BIRMANIE DÉTIENT 90% DES MINES DE JADE DE LA PLANÈTE. UNE RESSOURCE EXTRÊMEMENT PROFITABLE POUR LES MILITAIRES AU POUVOIR.

EN PLUS, ILS SE FATIGUENT MÊME PAS À CREUSER, ILS LOUENT DES CONCESSIONS À DES ENTREPRISES PRIVÉES ET ÉTRANGÈRES QUI EXPLOITENT LA MAIN-D'ŒUVRE LOCALE.

ET C'EST PAREIL POUR LE TECK.

DÉRAILLAGE

FINIE LA VISITE, JULES EST REPARTI CE MATIN. JE RETOURNE À MA TABLE ET JE ME REMETS AU DESSIN.

AÏE, OUÏLLE.

JE FORCE PAS TROP QUAND MÊME ET JE ME RENDS À UN "BABY-GROUP" ORGANISÉ PAR UNE DES MAMANS QUE JE CROISE À LA MATERNELLE.

PAS MAL !

DANS LE SALON, IL Y A DEUX MAGNIFIQUES BOUDDHAS EN BOIS. (DES REPRODUCTIONS)

AH BON SANG, SI ON N'ÉTAIT PAS SAC À DOS, JE M'EN SERAIS BIEN RAMENÉ UN MOI AUSSI.

DERNIER CRI À BANGKOK, LES ENFANTS S'AMUSENT AVEC UN ROBOT QUI PEUT EFFECTUER UNE TRENTAINE DE MOUVEMENTS DIFFÉRENTS. IL ARRIVE MÊME À DANSER.

DU CÔTÉ DES MAMANS, LA DISCUSSION TOURNE AUTOUR DU SCHWEPPES TONIC QU'ON NE TROUVE PLUS. IL FAUT SE CONTENTER D'UN ERSATZ QUI N'EST PAS TROP MAL MAIS, POUR LES GIN TONIC, C'EST VRAIMENT PAS ÇA.

LE DÉCALAGE AVEC LE MONDE QUI NOUS ENTOURE EST TEL QUE J'AI PARFOIS LE VERTIGE... À MOINS QUE CE NE SOIT L'ALCOOL.

PARLANT DE DÉCALAGE, ON ME RACONTE QU'UN JEUNE BIRMAN DE 14 ANS CONDUIT SA MERCEDES DÉCAPOTABLE POUR ALLER À L'ÉCOLE. LE SOIR, IL ROULE À TOMBEAU OUVERT DANS LES RUES DE LA CAPITALE SANS QUE PERSONNE N'OSE L'ARRÊTER CAR C'EST LE FILS D'UN DIRIGEANT.

MOI, J'AI RETIRÉ MON FILS DE CETTE ÉCOLE. JE L'AI MIS DANS LE PUBLIC, COMME ÇA IL APPRENDRA LE BIRMAN.

EH BEN !

AU REVOIR ET MERCI POUR TOUT.

170

AU REVOIR ET MERCI.

?

TIENS, IL Y A UN GROS MOINE ASSIS SOUS NOTRE PORCHE.

QU'EST-CE QU'IL FOUT LÀ ?

IL PARLE FORT ET ME MONTRE UNE CEINTURE ABDOMINALE QU'IL PORTE.

JE SUIS SUPRIS PAR CETTE FAÇON DE MENDIER. SI JE ME RAPPELLE BIEN, UN MOINE NE DOIT PLUS ACCEPTER D'OFFRANDES APRÈS MIDI.

JE CHERCHE NOTRE GARDIEN QUI N'EST JAMAIS LÀ QUAND ON A BESOIN DE LUI.

BON, VOILÀ POUR VOUS AIDER.

MAUNG AYE, PRÉVENU PAR LES VOISINS, ARRIVE DANS TOUS SES ÉTATS. IL EST FURIEUX D'APPRENDRE QUE J'AI DONNÉ QUELQUE CHOSE AU GROS MOINE.

171

IL FAUT CHASSER LES MAUVAIS MOINES À COUPS DE BÂTON, LES AIDER NOUS ATTIRE LA MAUVAISE FORTUNE, ME DIT-IL.

TSS, TSS TSS !

JE M'IMAGINE ASSEZ MAL TAPANT SUR UN MOINE À COUPS DE BÂTON.

DANS LA SOIRÉE, IL ME FAIT TOUJOURS LA TÊTE. JE DOIS M'ABSENTER, ALORS JE LUI PROPOSE DE SURVEILLER LOUIS EN REGARDANT LA TÉLÉ.

IL A L'AIR ENCHANTÉ, JE CROIS QUE LES "MANCHESTER UNITED" JOUENT CE SOIR.

JE PARS FAIRE UN TOUR DU CÔTÉ DES O.N.G. ÇA FAIT UN BAIL QUE JE N'AI PAS PRIS UN VERRE AVEC EUX.

HO LÀ, Y'A DU MONDE. C'EST PAS BON SIGNE.

EFFECTIVEMENT →

LE "GLOBAL FUND" SE RETIRE DU PAYS.

AH, BON. ET C'EST QUI CEUX-LÀ ?

C'EST EUX QUI FILENT DU BLÉ POUR DES PROGRAMMES DE TUBERCULOSE, SIDA ET PALUDISME.

ON PEUT LES COMPRENDRE, ÇA DEVIENT IMPOSSIBLE DE BOSSER DANS CE PAYS.

ON NE PEUT PAS RESTER PLUS D'UNE SEMAINE À LA FOIS SUR LE TERRAIN. IL FAUT REVENIR À LA CAPITALE SE REFAIRE FAIRE DES VISAS À CHAQUE FOIS.

NOUS, ON A UN MÉDECIN QUI ATTEND DEPUIS 2 MOIS QU'ON LUI DONNE LES PAPIERS POUR ALLER SUR SA MISSION.

C'EST RIDICULE !

MÊME LE C.I.C.R* COMMENCE À SE FAIRE EMMERDER.

ILS ONT FERMÉ UNE O.N.G. QUI TRAVAILLE DANS LE NORD POUR 2 MOIS.

LE TEMPS DE FAIRE DU "NETTOYAGE"...

* COMITÉ INTERNATIONAL DE LA CROIX-ROUGE

Y PARAÎT QUE MSF-FRANCE NE VA PAS SUIVRE LES NOUVELLES CONSIGNES DU GOUVERNEMENT.

TOUJOURS LES MÊMES À FOUTRE LE BORDEL !

C'EST VRAI QUE NADÈGE ET ASIS SONT PARTIS SANS LEUR "TRAVELING PERMIT".

AUCUNE IDÉE, ON ME DIT JAMAIS RIEN À MOI !

JE RENCONTRE UN ALLEMAND QUI A SÉJOURNÉ LONGTEMPS EN CORÉE DU NORD. ON SYMPATHISE IMMÉDIATEMENT.

PLUS TARD, JE LUI FERAI LIRE "PYONGYANG" ET IL RECONNAÎTRA QUELQUES AMIS À LUI.

ON TERMINE LA SOIRÉE AVEC LES DERNIÈRES RUMEURS AMBIANTES. DANS UN PAYS SANS JOURNALISTES, LA RUMEUR EST LA REINE DE L'INFORMATION.

Y PARAÎT QUE THAN SHWE EST MORT.

HA HA HA !

Y PARAÎT QU'ILS VONT DÉMÉNAGER LA CAPITALE.

HA HA HA !

JE N'EN PEUX PLUS, JE RENTRE. CE GENRE DE SOIRÉE SE POURSUIT FACILEMENT JUSQU'À 4 HEURES DU MATIN. TRÈS PEU POUR MOI.

TAKE CARE !

JE VAIS ESSAYER.

MÊME LES CHIENS DORMENT.

BéDé

J'AI FAIT LE TOUR DE NOMBREUSES LIBRAIRIES POUR CONNAÎTRE CE QUI SE FAIT EN MATIÈRE DE BANDE DESSINÉE DANS LE PAYS.

IL Y A DES PUBLICATIONS POUR ENFANTS, MAIS EN GÉNÉRAL C'EST PAS TERRIBLE.

PARFOIS ILS REDESSINENT MICKEY OU CHARLIE BROWN.

AUTREMENT, ON TROUVE DE BONS ILLUSTRATEURS DANS LES MAGAZINES FÉMININS OU SPORTIFS.

LE VIEUX DESSINATEUR NOUS ACCUEILLE, SA FILLE SORT ACHETER DES BOISSONS.

LA MAISON EST CONSTITUÉE D'UNE SEULE PIÈCE AVEC UN PANNEAU QUI SÉPARE LA CHAMBRE À COUCHER. C'EST D'UN GRAND DÉNUEMENT.

APRÈS UN BON MOMENT À BAVARDER, IL NOUS AMÈNE LES PAGES ORIGINALES D'UN ALBUM PUBLIÉ EN 70.

TU SAIS, IL A ÉTÉ UNE INSPIRATION POUR TOUTE NOTRE GÉNÉRATION.

LA JEUNE FILLE REVIENT AVEC DU COCA-COLA QUE JE ME SENS OBLIGÉ D'ACCEPTER ALORS QUE LES AUTRES REFUSENT.

ZUT ALORS.

SANS TROP SAVOIR POURQUOI, JE SUIS ASSEZ ÉMU DE ME RETROUVER ICI, À L'AUTRE BOUT DU MONDE, DANS LA MAISON DE CE VIEUX DESSINATEUR, À TOURNER EN SILENCE LES PAGES DE SES BANDES DESSINÉES.

178

BÉTEL,
POMMES ET
BISCUITS

ET VOILÀ! MERVEILLEUX! L'INTERNET EST ENCORE BLOQUÉ ET JE DOIS RECEVOIR DES PAGES DE MON COLORISTE.

PFF! QUELLE GALÈRE.

JE VAIS ESSAYER AU CAFÉ INTERNET.

'FAIT CHIER.

HEP, TAXI!

ICI, LES TAXIS N'ONT PAS DE COMPTEUR. IL FAUT S'ENTENDRE SUR LE PRIX AVANT DE MONTER.

5000
6000
3000
4000
6000

LES CHAUFFEURS DE TAXI SONT DES GRANDS CONSOMMATEURS DE BÉTEL.

OK.

MAIS LÀ, JE CROIS QUE JE SUIS TOMBÉ SUR LE ROI DE LA CHIQUE.

!

CAR MÊME POUR SA PHOTO DE PERMIS, IL POSE AVEC SON BÉTEL DANS LA BOUCHE.

OFFIC
N° 8AT

TRÈS FORT.

179

CERTAINS CRACHENT DANS DES SACS EN PLASTIQUE QU'ILS JETTENT UNE FOIS REMPLIS. D'AUTRES S'EN PASSENT.

PTT

MMM... J'AI FAIM.

D'AILLEURS, LE BÉTEL EST UNE VIEILLE ET NOBLE TRADITION.

" AU BRUIT D'UN ROULEMENT DE TAMBOUR, LE ROI THIBAU PARUT AVEC UNE SUITE DE HAUTS DIGNITAIRES. IL S'ASSIT, TANDIS QU'UNE DES DAMES DU PALAIS PLAÇAIT DEVANT LUI UNE BOÎTE DE BÉTEL EN OR, UN CRACHOIR ET UN BOL D'EAU."

MAHÉ DE LA BOURDONNAIS
"UN FRANÇAIS EN BIRMANIE", 1880

TCHAO ET MERCI.

AU CAFÉ INTERNET, ON TROUVE DES ÉTRANGERS ASIATIQUES, QUI UTILISENT LA TÉLÉPHONIE GRATUITE, ET LA JEUNESSE DORÉE LOCALE QUI SURFE SUR LE WEB OU JOUE À LA GUERRE EN RÉSEAU.

ON Y TROUVE AUSSI DES EMPLOYÉS QUI CONNAISSENT BIEN LES SUBTILITÉS DU RÉSEAU.

J'ARRIVE PLUS À ACCÉDER À MA MESSAGERIE. LE SITE EST BLOQUÉ.

VOYONS VOIR ÇA.

CE QUI EST BIEN AVEC L'INTERNET, C'EST QU'IL Y A TOUJOURS UN MOYEN POUR CONTOURNER UN OBSTACLE.

HÉ HÉ !

TRÈS BIEN CES COULEURS, JE VALIDE.

BON, JE VAIS PROFITER D'AVOIR UNE BONNE CONNECTION POUR SURFER UN PEU.

CE QUI M'AMUSE CES TEMPS-CI, C'EST D'ALLER VOIR CE QUE LES AUTRES UTILISATEURS AVANT MOI ONT FAIT COMME RECHERCHE.

ON APPREND BEAUCOUP DE CHOSES SUR LES ASPIRATIONS ET LES QUESTIONNEMENTS D'UNE POPULATION, À JOUER À CE PETIT JEU.

GOOGLE

UPDATES ANTI-VIRUS
SEX BELGIUM
SEX AUSTRIA
SEX POLAND
SEX FRANCE
ENLARGE YOUR PENIS

HOULÀ ! Y'EN A UN QUI S'ENNUIE.

PROFITONS D'ÊTRE ICI POUR FAIRE QUELQUES COURSES.

TIENS, C'EST JUSTE ICI QU'UNE BOMBE A ÉCLATÉ AU DÉBUT DE L'ANNÉE.

DEPUIS, ILS ONT MIS DES VIGILES PARTOUT.

DIEU MERCI, ILS ONT VIRÉ KAREN CARPENTER.

ICI, LES FRUITS EXOTIQUES SONT À L'INVERSE DE CHEZ NOUS. ON DONNE PRATIQUEMENT LES MANGUES, ALORS QU'UNE MALHEUREUSE POMME PEUT FAIRE 3 FOIS LE PRIX D'UN ANANAS.

JE VAIS QUAND MÊME EN PRENDRE VU QUE JE FAIS UNE OVERDOSE DE MANGUES ET DE PAPAYES.

DEPUIS PLUS D'UN MOIS, IL EST IMPOSSIBLE DE TROUVER DU LAIT EN BRIQUE.

PFF... TOUJOURS RIEN.

AUJOURD'HUI LE LAIT, DEMAIN LES FLOCONS D'AVOINE, Y'A TOUJOURS UN TRUC QUI MANQUE.

EN ATTENDANT, IL FAUT REVENIR CHAQUE 2 JOURS ET PRENDRE DU LAIT FRAIS.

QU'EST-CE QUI PEUT BIEN EMPÊCHER UN PAYS DE RECEVOIR DU LAIT IMPORTÉ ? LES SANCTIONS ÉCONOMIQUES INTERNATIONALES ?

ÇA ALORS, UN MOINE DANS LE RAYON BISCUITS.

AVENTURES EN
BIRMANIE
III

AAAAAH !

RIEN DE TEL POUR SE DÉTENDRE,
APRÈS UNE GROSSE JOURNÉE
À NE RIEN FAIRE.

BEN MERDE,
J'AI OUBLIÉ MA
SERVIETTE.

ZUT, COMMENT JE
FAIS MAINTENANT ?

JE SUIS
TROP LOIN,
ÇA SÈCHE
PAS.

BON SANG,
POURVU QUE
PERSONNE
NE RENTRE.

POP TART
&
CHEEZ WHIZ

CE MATIN, NADÈGE DISPUTE LA FINALE DU "TOURNOI DE LA MOUSSON" ORGANISÉ PAR LE CLUB AMÉRICAIN.

MOI, JE VIENS AVEC LOUIS POUR ENCOURAGER SON ÉQUIPE, PRINCIPALEMENT FORMÉE PAR DES MEMBRES DE DIVERSES SECTIONS D'O.N.G. FRANÇAISES.

OH !

ALLEZ, DU NERF !

L'AMÉRICAN CLUB EST SITUÉ AU NORD DU GRAND LAC INYA. ILS SONT TRÈS LOIN MAIS NÉANMOINS JUSTE EN FACE DE LA MAISON DE AUNG SAN SUU KYI.

LE CLUB

LA DAME

ET CHAQUE ANNÉE, LE JOUR DE SON AN-NIVERSAIRE, ILS LÂCHENT DES BALLONS POUR LUI FAIRE UN SIGNE. (ENFIN, ÇA C'EST CE QU'ON M'A RACONTÉ, MOI J'AI PAS VU.) ENCORE FAUT-IL QU'ELLE REGARDE DANS CETTE DIRECTION AU BON MOMENT.

YOUHOU! AUNG SAN!

185

ON TROUVE DE TOUT DANS CE CLUB. PISCINE, TERRAINS DE TENNIS, SALLE DE MUSCULATION ... MAIS L'ENSEMBLE EST PASSABLEMENT VÉTUSTE AINSI QUE DÉSERT. ON IMAGINE QU'ILS ONT VÉCU DES JOURS MEILLEURS.

DEPUIS LE DURCISSEMENT DES SANCTIONS ÉCONOMIQUES EN 2003, LES ENTREPRISES AMÉRICAINES ONT DÛ QUITTER LE PAYS. IL NE RESTE PLUS QU'UNE POIGNÉE DE G.I.'S

MÊME LES COMPAGNIES DE PÉTROLE ONT CESSÉ LEURS ACTIVITÉS. UNOCAL, PAR EXEMPLE, A LAISSÉ SES CONCESSIONS EN GÉRANCE AU FRANÇAIS TOTAL.

IL Y A TOUJOURS UNE AMBASSADE, MAIS SANS AMBASSADEUR. C'EST UN "ATTACHÉ" MAINTENANT QUI REPRÉSENTE LE PAYS. LE BÂTIMENT, SITUÉ AU CENTRE-VILLE, S'EST TRANSFORMÉ EN BUNKER DEPUIS LE 11 SEPTEMBRE. SA RUE EST FERMÉE À LA CIRCULATION ET LES PHOTOS SONT INTERDITES.

MAIS LE PLUS CURIEUX, C'EST QU'ILS ONT ENTREPRIS LA CONSTRUCTION (AU SUD DU LAC) D'UNE NOUVELLE AMBASSADE. ET PAS UNE PETITE, ON PARLE DE 50 MILLIONS DE DOLLARS.

ALORS, MYSTÈRE DE LA DIPLOMATIE AMÉRICAINE, POURQUOI CONSTRUIRE UNE GIGANTESQUE AMBASSADE DANS UN PAYS QUE L'ON NE RECONNAÎT PAS ET QUE L'ON SOUMET À UN EMBARGO ?

OH! REGARDE-MOI ÇA, IL Y A MÊME UNE PETITE ÉPICERIE.

DU "JELL-O", DU "CHEEZE WHIZ", DE LA "MIRACLE WHIP", DU BEURRE DE PINOTTES "SKIPPY" EXTRA CRUNCHY... MMM!

DIS DONC, TOUTE LA GASTRONOMIE NORD-AMÉRICAINE EST LÀ.

AH! DU "TV-DINER"...

... TOUTE MON ADOLESCENCE.

AUSSI CHIMIQUE QUE ÇA DOIT ÊTRE, JE SUIS SÛR QUE ÇA ME PLAIRAIT ENCORE.

OH! DES "POP TARTS"! INCROYABLE, J'AVAIS OUBLIÉ JUSQU'À LEUR EXISTENCE.

CE N'EST PLUS UNE ÉPICERIE, C'EST UNE MACHINE À VOYAGER DANS LE TEMPS.

AH LÀ LÀ... SE BRÛLER LA LANGUE AU 3e DEGRÉ AVEC UNE "POP TART" QUI SORT DU "TOASTER"...

... DES SOUVENIRS IMPÉRISSABLES.

ON A PERDU.

T'EN FAIS PAS, J'AI CE QU'IL FAUT POUR TE REMONTER LE MORAL.

187

TOURISME AU
LAC INLAY.

188

189

190

TOTAL

AVANT DE VENIR EN BIRMANIE, LES CHOSES ÉTAIENT CLAIRES. D'UN CÔTÉ IL Y AVAIT LE MAL AVEC TOTAL QUI DONNE DE L'ARGENT À LA JUNTE, ET DE L'AUTRE LES O.N.G. COMME M.S.F. QUI GUÉRISSENT LES MALADES.

ALORS, AU DÉBUT, JE ME SUIS MÉFIÉ.

BONJOUR!

ÉCOLE MATERNELLE

TOTAL

BONJOUR.

MAIS APRÈS AVOIR CÔTOYÉ QUELQUES EMPLOYÉS DE LA MULTINATIONALE J'AI RÉALISÉ QU'ILS N'ÉTAIENT PAS FONCIÈREMENT MÉCHANTS.

À RANGOUN, TOTAL SUBVENTIONNE UNE ÉCOLE FRANÇAISE. ET UN JOUR, J'AI ÉTÉ INVITÉ POUR ANIMER UN ATELIER SUR LA BANDE DESSINÉE DANS UNE CLASSE DE COLLÉGIENS.

VOUS N'ÊTES QUE 3 ?

OUI MONSIEUR.

EN CP, ILS SONT 7.

SUR 3, Y'EN AVAIT 2 QUI S'ENDORMAIENT.

TOTAL EXTRAIT DU GAZ NATUREL SOUS-MARIN SITUÉ DANS LA RÉGION DE YADANA, QU'IL VEND PRINCIPALEMENT À LA THAÏLANDE VIA UN GAZODUC.

LORS DE SA CONSTRUCTION, IL Y A FORT À PARIER QU'IL Y A EU DES DÉPLACEMENTS DE VILLAGES ET DU TRAVAIL FORCÉ. L'ARMÉE UTILISE CE GENRE DE PROCÉDÉS PARTOUT OÙ ELLE SE TROUVE. ET CE, ENCORE AUJOURD'HUI.

POUR FAIRE OUBLIER CET ÉPISODE, TOTAL A INVESTI DANS UN PROGRAMME SOCIAL D'ENVERGURE, MAIS UNIQUEMENT DANS LA RÉGION OÙ PASSE LE GAZODUC.

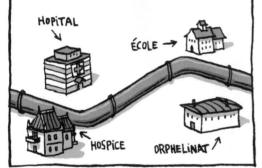

HÔPITAL

ÉCOLE →

← HOSPICE

ORPHELINAT ↗

EN CES TEMPS DE CRISE PÉTROLIÈRE, BEAUCOUP DE PAYS LORGNENT AVEC ENVIE SUR LES RESSOURCES ÉNERGÉTIQUES DE LA BIRMANIE.

INDE

CHINE

JAPON

CORÉE DU SUD

PAR EXEMPLE, QUAND LES ANGLAIS DE "PREMIER OIL" ONT QUITTÉ LE PAYS SUITE AUX PRESSIONS ET AUX SANCTIONS, C'EST LA MALAISIE AVEC "PETRONAS" QUI A REPRIS LA MAIN.

LE GAZ N'A PAS CESSÉ UN SEUL INSTANT D'ÊTRE EXTRAIT.

JOHN, UN ANGLAIS QUI TRAVAILLE MAINTENANT CHEZ "PETRONAS".
↓

AVEC LA MALAISIE ON EST TRANQUILLES. AVANT, Y'AVAIT TOUJOURS UN GROUPE DE PRESSION POUR NOUS CASSER LES PIEDS.

ILS ONT GARDÉ LES MÊMES EMPLOYÉS ?

PRATIQUEMENT.

ON IMAGINE DIFFICILEMENT LA SITUATION S'AMÉLIORER SI, PAR EXEMPLE, LES CHINOIS VENAIENT À REPRENDRE L'EXPLOITATION DE TOTAL.

DÉPENSERAIENT-ILS AUTANT D'ARGENT POUR DES PROGRAMMES SOCIAUX ? ON EST EN DROIT D'EN DOUTER.

OUI, MAIS IL AURAIT FALLU QUE TOTAL NE METTE JAMAIS LES PIEDS ICI.

OUI, D'ACCORD, MAIS UNE AUTRE COMPAGNIE SERAIT VENUE.

MMM ...

ÉVIDEMMENT, SI ON VIVAIT DANS UN MONDE OÙ TOUTES LES COMPAGNIES PÉTROLIÈRES S'ENTENDAIENT POUR BOYCOTTER LA BIRMANIE, CE SERAIT PARFAIT.

MAIS C'EST PAS LE CAS.

ET D'APRÈS MOI ON EN EST LOIN, ON N'ARRIVE MÊME PAS AVEC TOUTES LES PRESSIONS INTERNATIONALES À IMPOSER UN MORATOIRE SUR LES BALEINES.

QU'EST-CE QUE LES BALEINES VIENNENT FAIRE LÀ-DEDANS ?

SUEURS FROIDES

JE REÇOIS PAR LE COURRIER (VIA M.S.F.) QUELQUES EXEMPLAIRES DU JOURNAL DANS LEQUEL JULES A PUBLIÉ SON ARTICLE SUR LA BIRMANIE.

TIENS, IL M'A DESSINÉ.

...tature qui a gagné

RANGOON, PRÈS DE LA MAISON OÙ EST ENFERMÉE AUNG SAN SUU KYI : UN BARRAGE FILTRE LES VOITURES, L'ACCÈS NOUS EST ABSOLUMENT INTERDIT. LA STATION-ESSENCE VOISINE A FAIT FAILLITE :

ICI, LES GENS SE BOURRENT LA GUEULE EN L'HONNEUR D'AUNG SAN SUU KYI LE JOUR DE SON ANNIVERSAIRE.

ON L'APPELLE "LA DAME". PERSONNE NE PRONONCE JAMAIS SON NOM... COMME LE MÉCHANT DANS HARRY POTTER!

LE DESSINATEUR GUY DELISLE, QUI VIT EN BIRMANIE DEPUIS 6 MOIS...

PLUSIEURS DESSINS ACCOMPAGNENT SON ARTICLE, J'EN OFFRE UNE COPIE À MES ÉTUDIANTS ANIMATEURS, LE JOUR DE NOTRE RENCONTRE HEBDOMADAIRE.

TOUT SE PASSE COMME D'HABITUDE.

VOUS AVEZ FAIT VOS EXERCICES ?

EUH ...

AH! C'EST PAS MAL DU TOUT, ÇA.

ÇA COMMENCE À RESSEMBLER À QUELQUE CHOSE.

ALLÔ?

LE LENDEMAIN SOIR, JE REÇOIS UN COUP DE FIL DE L'UN D'EUX. IL A L'AIR INQUIET ET VEUT PASSER ME VOIR.

IL Y A UN PROBLÈME AVEC LE JOURNAL QUE TU NOUS AS DONNÉ.

L'ARTICLE DE TON AMI CRITIQUE SÉVÈREMENT NOTRE PAYS ET IL Y A UNE IMAGE DE TOI AVEC TON NOM.

ON PEUT FACILEMENT T'IDENTIFIER, C'EST EMBÊTANT.

NORMALEMENT, ÇA NE PORTE PAS À CONSÉQUENCE, MAIS L'UN DE NOUS QUATRE TRAVAILLE POUR LE GOUVERNEMENT, ET POUR LUI, D'ÊTRE ASSOCIÉ À TOI, C'EST DANGEREUX.

IL PEUT PERDRE SA VOITURE, SON APPARTEMENT, ET RISQUER JUSQU'À 10 ANS DE PRISON.

IL N'EN DORT PLUS.

MAIS C'EST AFFREUX !

IL NE FAUT PAS QUE CE JOURNAL TOMBE DANS DES MAUVAISES MAINS. J'ESPÈRE QUE TU N'AS PAS DISTRIBUÉ D'AUTRES EXEMPLAIRES ?

NON, NON... RIEN N'EST SORTI D'ICI, NE T'EN FAIS PAS.

JE... JE... JE SUIS TELLEMENT DÉSOLÉ !

195

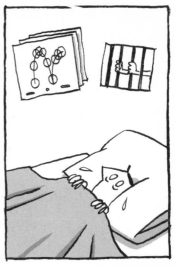

ALLÔ, TU TE RAPPELLES DU JOURNAL QUE JE T'AI FILÉ L'AUTRE JOUR? IL FAUT QUE JE LE RÉCUPÈRE, JE T'EXPLIQUERAI.

JE PEUX PASSER TOUT DE SUITE?

LE LENDEMAIN, JE RÉCUPÈRE LES 3 COPIES QUI TRAÎNAIENT DANS LA NATURE. MÊME SI JE SAIS QUE LES FUITES NE VIENDRAIENT PAS DE LÀ, JE PRÉFÈRE AVOIR L'ESPRIT TRANQUILLE.

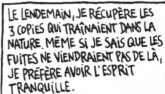

DANS UN EXCÈS DE ZÈLE, JE BRÛLE LE TOUT DERRIÈRE LA MAISON.

POUR ME PRÉPARER AU PIRE, JE DÉCIDE DE CONTACTER LES GENS LES PLUS INFORMÉS SUR LE PAYS QUE J'AI PU RENCONTRER.

D'APRÈS MOI, C'EST MAL BARRÉ POUR TON COPAIN. IL Y A DES GENS À L'AMBASSADE BIRMANE EN FRANCE QUI LISENT TOUT CE QUI SE PUBLIE ET QUI EN FONT UN RAPPORT.

UN REPRÉSENTANT DU C.I.C.R. QUI VISITE RÉGULIÈREMENT LES PRISONS.

TU NOUS DONNERAS SON NOM, COMME ÇA ON POURRA LE SUIVRE ET SAVOIR DANS QUEL PRISON ILS L'ENVERRONT. SOUVENT LES FAMILLES L'IGNORENT.

C'EST TRÈS RÉCONFORTANT.

J'ARRIVE MÊME À RENCONTRER UN AMBASSADEUR (GRAND AMATEUR DE BANDES DESSINÉES).

DEPUIS LA PURGE DE NOVEMBRE DERNIER, LES SERVICES DE RENSEIGNEMENTS SE SONT BEAUCOUP AFFAIBLIS.

LES CHANCES SONT PLUS QUE MINCES POUR QU'ON S'INTÉRESSE À UN ARTICLE AUSSI PEU DIFFUSÉ. JE CROIS MÊME QUE LES BIRMANS EN POSTE EN FRANCE NE PARLENT PAS LE FRANÇAIS. LES AVANTAGES DE LA CORRUPTION, ON PEUT DIRE.

LA SEMAINE SUIVANTE, JE DONNE MON COURS D'ANIMATION AVEC UN ÉTUDIANT EN MOINS.

J'ESSAIE DE METTRE UNE BONNE AMBIANCE, MAIS LE CŒUR N'Y EST PAS.

ALORS, VOUS AVEZ FAIT VOS EXERCICES ?

PREMIERS
SOINS

ET SI TON FILS SE FAIT MORDRE
PAR UN SERPENT, TU SAIS
QUOI FAIRE ?

IL Y EN A DE
TRÈS VENIMEUX
DANS LE COIN.

C'EST SUITE À CETTE REMARQUE ENTENDUE LORS D'UN "BABY GROUP" QUE J'AI ACCEPTÉ DE PARTICIPER À UN COURS DE PREMIERS SOINS DANS LES BUREAUX DE LA CROIX-ROUGE.

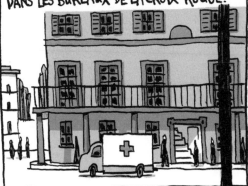

NOTRE INSTRUCTEUR, UN BIRMAN ANGLOPHONE, UTILISE UNE MÉTHODE PÉDAGOGIQUE DIGNE DU DÉBUT DU SIÈCLE. IL NOUS LIT, AU RALENTI, LE MANUEL DONT NOUS AVONS LES PHOTOCOPIES ENTRE LES MAINS.

LE STAGE SE DÉROULE SUR QUATRE JOURS, AU BOUT D'UNE DEMI-HEURE JE N'EN PEUX PLUS, J'ESSAIE D'IMAGINER DES SOLUTIONS POUR ARRIVER À TENIR JUSQU'À LA PAUSE DÉJEUNER.

TOUT ÇA ME REPLONGE DANS L'AMBIANCE DE CES INTERMINABLES ANNÉES D'ÉTUDE À ATTENDRE, DANS UN ÉTAT PROCHE DE LA LÉTHARGIE, QUE ÇA PASSE.

198

JE RETIENS QUAND MÊME QUELQUES TRUCS, NOTAMMENT LA FAÇON DE CONSERVER UN MEMBRE FRAÎCHEMENT COUPÉ EN VUE D'UNE FUTURE GREFFE.

APRÈS LE DÉJEUNER, JE REVIENS MALGRÉ TOUT POUR PASSER AUX TRAVAUX PRATIQUES.

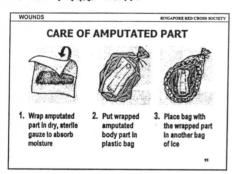

WOUNDS   SINGAPORE RED CROSS SOCIETY

CARE OF AMPUTATED PART

1. Wrap amputated part in dry, sterile gauze to absorb moisture

2. Put wrapped amputated body part in plastic bag

3. Place bag with the wrapped part in another bag of ice

95

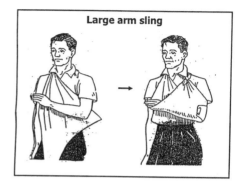

Large arm sling

our handed seat carry

Grip for Four-Handed Seat

Remove any foreign object from the month.

1   3

2

Do <u>Abdominal thrust</u>

Step 1 – Stand behind casualty

Step 4

Check for the pulse for 10 sec.

TWO MAN CARRY
Fore-and-aft carry

Grasp casualty's wrists and hands firmly

LE LENDEMAIN, JE REMETS ÇA MAIS C'EST VRAIMENT TROP BARBANT. JE M'ENFUIS APRÈS LE DÉJEUNER ME PROMENER DANS LA VIEILLE VILLE EN ESPÉRANT QUE LES SERPENTS VENIMEUX SE TIENDRONT LOIN DE MON FILS.

LE GRAND DÉPART

À LA SURPRISE GÉNÉRALE, C'EST CE MATIN QUE LE RÉGIME A DÉBUTÉ LE DÉMÉNAGEMENT DE LA CAPITALE.

LA NOUVELLE SE RÉPAND À TOUTE VITESSE, C'EST L'INCRÉDULITÉ LA PLUS TOTALE ET PERSONNE N'Y CROIT VRAIMENT.

BOF, ÇA M'ÉTONNERAIT BEAUCOUP.

MAIS LES CAMIONS DE DÉMÉNAGEMENT SONT BIEN LÀ, DEVANT LES MINISTÈRES, ET FORCE EST DE CONSTATER QU'ILS VIDENT LEURS BUREAUX.

LES PREMIERS FONCTIONNAIRES À PARTIR ONT EU 24 HEURES DE PRÉAVIS. ILS DOIVENT LAISSER LEUR FAMILLE À RANGOUN ET, S'ILS REFUSENT, C'EST LA PRISON QUI LES ATTEND.

C'EST QUAND MÊME ÉTONNANT QUE, PARMI TOUTES LES RUMEURS QUI CIRCULENT, ÇA SOIT LA PLUS SURRÉALISTE QUI SE CONCRÉTISE.

ON APPREND DE SOURCE PAS DU TOUT OFFICIELLE QUE LA NOUVELLE CAPITALE SE SITUERA AU CENTRE DU PAYS, AU MILIEU DE NULLE PART, DANS UNE VILLE CONSTRUITE À CETTE FIN.

LES PREMIERS ÉCHOS QU'ON EN REÇOIT NE SONT PAS TRÈS BONS. LES FONCTIONNAIRES DORMENT DANS LEUR BUREAU. DES MAISONS SANS EAU, SANS ÉLECTRICITÉ. UNE CHALEUR INSUPPORTABLE, DES SERPENTS PARTOUT.

UN AMBASSADEUR QUI POSAIT UNE QUESTION À PROPOS DU NOM DE LA NOUVELLE CAPITALE À UN MEMBRE DU GOUVERNEMENT S'EST VU RÉPONDRE CECI :

SECRET DÉFENSE.

ON IMAGINE LE DÉSARROI DE CERTAINES DÉLÉGATIONS QUI VENAIENT DE CONSTRUIRE LEUR AMBASSADE DANS CE QU'ILS CROYAIENT ÊTRE LA CAPITALE.

SANS PARLER DE CELLES QUI SONT EN PLEINE CONSTRUCTION.

ON A SU PLUS TARD QUE ÇA S'APPELLERAIT PYINMANA. MAIS ENSUITE ON A DIT QUE ÇA SERAIT RENOMMÉ NAY PYI DAW. PAS FACILE À SUIVRE, TOUT ÇA.

~~PYINMANA~~
NAY PYI DAW*

DANS LA COMMUNAUTÉ DES O.N.G. LES INQUIÉTUDES SONT NOMBREUSES.

COMMENT ÇA SE PASSERA ? JE DOIS RENCONTRER LE MINISTRE DE LA SANTÉ TOUS LES MOIS ?

ET POUR LES VISAS, IL FAUDRA ALLER LÀ-BAS ?

* QUI VEUT DIRE : "LA DEMEURE DES ROIS"

REMARQUEZ QUE, SANS AUCUN EFFORT, ON AURA, TOUR À TOUR, HABITÉ DANS LA CAPITALE ET DANS LA MÉTROPOLE. C'EST COOL ÇA.

PARMI LES NOMBREUSES HYPOTHÈSES POUR EXPLIQUER UN TEL CHAMBOULEMENT. ON PEUT EN RETENIR DEUX À PEU PRÈS CRÉDIBLES.

LA MILITAIRE : RANGOUN SERAIT TROP VULNÉRABLE FACE À UNE OFFENSIVE COMME CELLE QUE L'IRAK A VÉCUE.

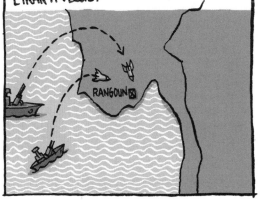

RANGOUN

L'ÉSOTÉRIQUE = LES ASTROLOGUES DE THAN SHWÉ AURAIENT PRÉDIT LA FIN DE RANGOUN EN TANT QUE CAPITALE. ALORS VALAIT MIEUX PRENDRE LES DEVANTS ET COMMENCER À FAIRE LES CARTONS.

ET FINALEMENT, POUR CEUX QUI VEULENT Y CROIRE, IL Y A EU LA VERSION OFFICIELLE.

LA NOUVELLE CAPITALE SERA MIEUX SITUÉE EN ÉTANT AU CENTRE DU PAYS, ELLE SERA AU CENTRE DE TOUS LES BIRMANS.

ET VOILÀ LE TRAVAIL, DANS UN PAYS AVEC UNE JUNTE AU POUVOIR, ON NE S'EMBÊTE PAS AVEC LES EXPLICATIONS. DE TOUTE FAÇON, Y'A PERSONNE QUI VA VENIR POSER TROP DE QUESTIONS OU ÉCRIRE CE QU'IL PENSE.

ON QUITTE LE GROUPE, TOUJOURS AUSSI INQUIETS, TARD DANS LA NUIT.

HÉ! ATTENTION, ASIS, Y'A PEUT-ÊTRE UN SERPENT PAR LÀ!

PAS DE PROBLÈME.

AU BANGLADESH, ON A UN DICTON QUI DIT QUE SI ON MEURT À CAUSE D'UN SERPENT, C'EST QUE C'ÉTAIT TON DESTIN...

AH BON.

MAIS PAR CONTRE, SI ON MEURT PAR LA FAUTE D'UN TIGRE, C'EST QUE T'AS SIMPLE-MENT PAS EU DE CHANCE CE JOUR-LÀ.

HA HA HA !

DIS DONC, ASIS, ÇA A PAS L'AIR DE TROP T'INQUIÉTER, CE DÉMÉNAGEMENT DE CAPITALE ?

PAS DU TOUT, MÊME. POUR LA BONNE ET SIMPLE RAISON QU'IL A FINALEMENT ÉTÉ DÉCIDÉ QU'ON ALLAIT SE RETIRER DU PAYS. M.S.F.-FRANCE VA QUITTER LE MYANMAR.

EH BEN, ELLE EST BONNE CELLE-LÀ.

ET JE VAIS POUVOIR RETOURNER SUR LE TERRAIN AVANT QUE ÇA FERME ?

RÉCRÉATION

BON, J'Y VAIS. C'EST BIENTÔT L'HEURE, JE NE VEUX PAS RATER UNE PAREILLE OPPORTUNITÉ.

JUSTE À CÔTÉ DE L'ÉCOLE DE LOUIS SE TROUVE LES BUREAUX D'A.C.F. (ACTION CONTRE LA FAIM)

LORS D'UNE SOIRÉE, L'UN D'EUX ME DISAIT:

TU SAIS, DE NOTRE BALCON, ON PEUT VOIR LES ENFANTS PENDANT LA RÉCRÉ. SOUVENT, JE FAIS COÏNCIDER MA PAUSE POUR ALLER VOIR MON FILS.

TU VEUX PASSER ?

QUEL PARENT N'A PAS RÊVÉ DE VOIR CE QUI SE PASSE DANS LA CLASSE ?

JUSTE À TEMPS.

GA Y EST, JE LE VOIS, IL EST LÀ.

MAIS QU'EST-CE QU'IL FABRIQUE?

POURQUOI, IL COURT PAS AVEC LES AUTRES ?

Y'A LE GRAND, LÀ, QUI ARRÊTE PAS DE L'EMBÊTER.

SALE MÔME, LÂCHE MON FILS.

ZUT, Y'EN A UN QUI NOUS A VUS !

IL FAIT SIGNE À TON FILS DE REGARDER PAR ICI.

PLANQUONS-NOUS !

HI HI HI !

ARRÊTE, ON VA SE FAIRE REPÉRER.

204

MINILE ET
SES ANGES

PAR 26° DEHORS, MON VOISIN PORTE UN BONNET.

MINGALABA!

AH, OUI. J'OUBLIAIS QUE SANS LOUIS JE N'EXISTE PAS.

HIER SOIR, UNE AUTRE BOMBE A ÉCLATÉ AU CENTRE-VILLE. CETTE FOIS-CI, PAS DE VICTIME.

TAXI!

IL N'Y A PAS EU DE REVENDICA-TIONS ET PAS NON PLUS D'AGI-TATION. TOUT RESTE TOUJOURS TRÈS CALME ICI, GRÂCE À CE RÉGIME QUI PARALYSE LES VOLONTÉS EN DISTILLANT UNE PEUR AU QUOTIDIEN.

MÊME LA SEMAINE DERNIÈRE, APRÈS L'ANNONCE DU PROLONGEMENT DE LA MISE EN DEMEURE DE AUNG SAN SUU KYI DE 6 MOIS, IL N'Y A PAS EU LE MOINDRE MOUVEMENT DE MÉ-CONTENTEMENT. LA JUNTE A ENCORE DE BEAUX JOURS DEVANT ELLE, SEMBLE-T-IL.

CE MATIN, JE ME RENDS DANS LES BUREAUX DE MSF-HOLLANDE. ON M'A CONVAINCU DE TRAVAILLER SUR DES ILLUSTRATIONS POUR LEUR PROGRAMME D'ÉDUCATION À LA SANTÉ.

TIENS, C'EST TOI LE "CARTOONIST"? TU VOUDRAIS PAS ESSAYER DE TE RENDRE UTILE?

DIT COMME ÇA, ÇA FAIT ENVIE, C'EST CERTAIN.

L'IDÉE EST DE FAIRE UN LIVRE POUR LES TOUT PETITS ATTEINTS DU VIH. IL FAUT TROUVER UN MOYEN DIVERTISSANT POUR LEUR RAPPELER DE PRENDRE LEURS MÉDICAMENTS DEUX FOIS PAR JOUR.

UN LIVRE?

ÇA SERAIT PAS MIEUX DE TRAVAILLER AVEC DES DESSINATEURS DU COIN? J'EN CONNAIS QUELQUES-UNS.

OUI, ON LE FAIT SOUVENT, MAIS LÀ ON VOULAIT CHANGER DE STYLE.

BON, D'ACCORD.

JE REÇOIS UN TEXTE ÉLABORÉ PAR UN MÉDECIN. JE M'Y METS LE JOUR MÊME.

VOYONS VOIR.

TOUS LES ENFANTS SONT PROTÉGÉS PAR DES ANGES QUI CHASSENT LES MALADIES.

MALHEUREUSEMENT, LE MÉCHANT VOLEUR D'ANGES (HIV) N'EST JAMAIS TRÈS LOIN.

LA PAUVRE MINILE NE VA PAS TRÈS BIEN.

LE MÉDECIN FAIT APPEL AUX SERVICES DES DEUX HÉROS (ART*)

ILS CAPTURENT LE MÉCHANT VOLEUR ET LIBÈRENT LES PETITS ANGES.

GRÂCE À EUX, MINILE EST VITE REMISE SUR PIED.

* ANTIRÉTROVIRAUX

MAIS IL EST IMPORTANT DE VEILLER JOUR ET NUIT À CE QUE LE MÉCHANT NE S'ÉCHAPPE PAS.

ET S'IL ARRIVE QUE PAPA OU MAMAN OUBLIE, IL FAUT LE LEUR RAPPELER.

C'EST POURQUOI IL FAUT PRENDRE LE MÉDICAMENT DEUX FOIS DANS LA JOURNÉE.

LA BIRMANIE EST UN DES PLUS GROS PRODUCTEURS D'OPIUM AU MONDE. DANS CERTAINES RÉGIONS DU PAYS L'HÉROÏNE CIRCULE QUASI LIBREMENT. BEAUCOUP DE DROGUÉS ET PAS BEAUCOUP D'HYGIÈNE. LE VIRUS DU SIDA SE PROPAGE À TOUTE VITESSE. À CELA SE RAJOUTE LA CONTAMINATION LIÉE À LA PROSTITUTION.

TOUS CES MALADES SONT UNIQUEMENT PRIS EN CHARGE PAR DES INSTANCES ÉTRANGÈRES. LES RÉTROVIRAUX SONT ACHETÉS EN THAÏLANDE QUI FABRIQUE DES GÉNÉRIQUES. AVEC DES FORMALITÉS DOUANIÈRES TELLEMENT LONGUES QU'IL N'EST PAS RARE DE VOIR UN MÉDECIN FAIRE L'ALLER-RETOUR PAR BANGKOK EN UNE JOURNÉE POUR REMPLIR SES VALISES DE MÉDICAMENTS.

EST-CE QUE JE ME SENS UTILE EN TRAVAILLANT SUR CE LIVRE POUR ENFANTS ? SUR LE MOMENT, PAS TROP, JE DOIS AVOUER. CE N'EST SEULEMENT QUE 3 SEMAINES PLUS TARD QUE J'AURAI L'OCCASION DE RESSENTIR QUELQUE CHOSE DANS CE GENRE-LÀ.

ET VOILÀ ! MON PREMIER LIVRE EN BIRMAN.

UN "COLLECTOR" EN QUELQUE SORTE.

JE VEUX BIEN ÊTRE PENDU SI UN JOUR Y'EN A UN QUI SE POINTE AVEC CE LIVRE POUR UNE DÉDICACE.

PFF !

LE GRAND
RASSEMBLEMENT

AUJOURD'HUI, LE COURS D'ANIMATION N'A PAS LIEU CHEZ MOI. JE N'AI PLUS QUE 3 ÉTUDIANTS ET ILS PRÉFÈRENT QU'ON SE VOIE CHEZ L'UN D'EUX.

TANT MIEUX, ÇA ME DONNE UNE OCCASION DE SORTIR DE CHEZ MOI.

OUPS!

ZUT!

AU BOUT D'UNE DEMI-HEURE, IL N'Y A PLUS D'ÉLECTRICITÉ ET LA BATTERIE N'EST PAS ASSEZ CHARGÉE POUR SUPPORTER UN ORDINATEUR.

LE COURS EST ABRÉGÉ, MAIS IL Y A AUTRE CHOSE DE PRÉVU AUJOURD'HUI.

TU VIENS AVEC NOUS?

VOLONTIERS.

IL FAUT FAIRE ATTENTION DANS LES ESCALIERS.

SA FILLE NOUS ÉCLAIRE POUR LE PREMIER PALIER, MAIS ENSUITE ON SE RETROUVE DANS LE NOIR COMPLET.

MERCI.

HÉ! JE VOIS RIEN.

IL FAUT COMPTER 8 MARCHES POUR CHAQUE PALIER. J'AI L'HABI-TUDE.

OK, D'ACCORD.

SAUF POUR LE DERNIER PALIER QUI FAIT 9 MARCHES.

AH BON, L'ARCHITECTE S'EST TROMPÉ?

NON, C'EST LA TRADITION EN BIRMANIE. TOUTES LES MAISONS DOIVENT AVOIR UN NOMBRE IMPAIR DE MARCHES.

EH BEN!

... ET DE 9. C'EST EXACT.

FASCINANT PAYS.

LA VOITURE EST LÀ-BAS.

UNE FOIS PAR ANNÉE, TOUS LES DESSINATEURS DU PAYS SE RÉUNISSENT POUR HONORER UN DE LEURS ILLUSTRES COLLÈGUES. SI J'AI BIEN COMPRIS, ON SE REND CHEZ LE PLUS ÂGÉ D'ENTRE EUX QUI EST PASSABLEMENT MALADE.

J'EN CROIS PAS MES YEUX, IL Y A ENVIRON 150 DESSINATEURS QUI SE SONT DÉPLACÉS POUR L'OCCASION. ON ME PRÉSENTE, JE SERRE BEAUCOUP DE MAINS.

JE CROISE DES JEUNES DESSINATEURS, DONT CERTAINS QUE JE REVERRAI PLUS TARD POUR VOIR LEUR TRAVAIL OU POUR PARLER DE BANDE DESSINÉE EUROPÉENNE.

IL Y EN A UN À QUI J'AI PROPOSÉ DE PARTICIPER À MON ALBUM. IL A PASSÉ SON ADOLESCENCE À BAGAN, LA VILLE LA PLUS TOURISTIQUE DU PAYS.

UN JOUR DE MAI 1990, LES AUTORITÉS ONT DONNÉ L'ORDRE AUX HABITANTS DE QUITTER LEUR MAISON ET DE DÉMÉNAGER À QUELQUES KILOMÈTRES DE LÀ, DANS LE "NEW BAGAN".

ILS ONT D'ABORD COUPÉ L'ÉLECTRICITÉ, ENSUITE L'EAU, ET FINALEMENT ILS SONT ARRIVÉS AVEC DES BULLDOZERS.

JE CONNAISSAIS CETTE HISTOIRE ET J'AURAIS BIEN AIMÉ QU'UN TÉMOIN DE CETTE EXPROPRIATION PUISSE RACONTER TOUT ÇA EN IMAGES.

J'EN AI AUSSI RENCONTRÉ UN QUI FAISAIT DES DESSINS COQUINS.

IL ÉTAIT D'ACCORD, MAIS POUR DES RAISONS QUI M'ÉCHAPPENT, ÇA NE S'EST JAMAIS FAIT.

DES DESSINS TROP OSÉS POUR ÊTRE PUBLIÉS EN BIRMANIE.

AU MILIEU DE CE RASSEMBLEMENT, TROIS DESSINATEURS DÉDICACENT LEURS ALBUMS.

PLUS LOIN, ACCROCHÉS AU FOND DE LA SALLE, ON RETROUVE LEURS PORTRAITS EN CARICATURE SUR UNE BANDEROLE.

IL Y A DES JEUNES QUI FONT DES CROQUIS. L'AMBIANCE M'EST FAMILIÈRE, JE ME SENS UN PEU COMME CHEZ MOI.

ON VIENT ME CHERCHER POUR ME PRÉSENTER À CELUI POUR QUI CETTE CÉLÉBRATION EST ORGANISÉE. IL EST ALLONGÉ SUR UN LIT, UNE CHAISE ROULANTE À SES CÔTÉS.

NICE TO MEET YOU.

IL PARLE TRÈS BIEN L'ANGLAIS ET S'EXCUSE DE M'ACCUEILLIR DANS UN PAYS AUSSI MAUVAIS.

TOUTE CETTE SCÈNE ME LAISSE UNE FURIEUSE IMPRESSION DE DÉJÀ-VU.

MMM...

LORS DE LA CÉRÉMONIE, IL SERA PLACÉ ENTRE DEUX AUTRES DESSINATEURS ÉGALEMENT TRÈS ÂGÉS.

PENDANT QU'ON PRONONCE UN DISCOURS EN SON HONNEUR, DES GENS VIENNENT DÉPOSER DES ENVELOPPES CONTENANT DE L'ARGENT.

À UN MOMENT, IL SE PASSE QUELQUE CHOSE D'ASSEZ CURIEUX. UN DES VIEUX DESSINATEURS SE LÈVE ET SE PROSTERNE DEVANT CELUI QU'ON HONORE.

JE RETROUVE MES COPAINS ANIMATEURS À LA SORTIE. ILS VEULENT ME PARLER, ILS ONT L'AIR SÉRIEUX. ZUT... AURAIS-JE COMMIS UN IMPAIR ?

ILS DOIVENT RESTER POUR AIDER, MAIS PAR CONTRE ILS INSISTENT POUR ME PAYER UN TAXI POUR RENTRER.

QUE FAIRE ? MON PREMIER RÉFLEXE SERAIT DE PROTESTER, MAIS QUAND ON VOIT LE RESPECT QU'ILS MANIFESTENT POUR LES AÎNÉS ET LES ENSEIGNANTS, JE NE VOUDRAIS PAS NON PLUS LES VEXER.

MÊME SI JE SAIS QUE POUR EUX UN TAXI REPRÉSENTE UNE DÉPENSE DÉMESURÉE.

EH BIEN HEU...

DIMANCHE
SOIR

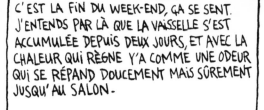

C'EST LA FIN DU WEEK-END, ÇA SE SENT. J'ENTENDS PAR LÀ QUE LA VAISSELLE S'EST ACCUMULÉE DEPUIS DEUX JOURS, ET AVEC LA CHALEUR QUI RÈGNE Y'A COMME UNE ODEUR QUI SE RÉPAND DOUCEMENT MAIS SÛREMENT JUSQU'AU SALON.

JE ME SOUVIENS QU'AU DÉBUT JE JOUAIS LES BONS PRINCES ET QUE JE NETTOYAIS LA CUISINE LE DIMANCHE SOIR POUR QUE LA NOUNOU N'AIT PAS À LE FAIRE LE LUNDI MATIN. TOUT ÇA POUR ME DONNER BONNE CONSCIENCE, ÉVIDEMMENT.

DEPUIS, J'AI RELATIVISÉ. COMBIEN DE FOIS AI-JE VU DES EXPATRIÉS SE FAIRE PRÉPARER LE BRUNCH DU DIMANCHE PAR UNE NOUNOU PENDANT QU'UNE DEUXIÈME S'OCCUPAIT DU MARMOT ?

"AH OUI, MAIS ON LEUR PAYE UN EXTRA POUR VENIR LE DIMANCHE."

PFF!

BEN VOYONS, COMME S'ILS ÉTAIENT EN POSITION POUR REFUSER QUOI QUE CE SOIT.

DU GENRE, NON MERCI MAIS MA CONVENTION COLLECTIVE M'AUTORISE À AU MOINS UNE JOURNÉE DE REPOS PAR SEMAINE POUR QUE MOI AUSSI JE PUISSE VOIR MES ENFANTS.

LE WEEK-END, C'EST AUSSI LE SEUL MOMENT OÙ JE PEUX ME PROMENER À MOITIÉ À POIL. JE DIS BIEN À MOITIÉ, PARCE QU'IL Y A TOUJOURS MAUNG AYE QUI TRAÎNE DANS LES PARAGES ET QUI TAPE AU CARREAU POUR NOUS POSER DES QUESTIONS.

IL Y A DES GENS QUI LE VIVENT TRÈS BIEN. MOI À FORCE, ÇA M'AGACE PRODIGIEUSEMENT. JE SAIS QUE JE DEVRAIS JOUER AU PATRON ET LUI DIRE DE NE PAS FAIRE CI ET DE NE PAS FAIRE ÇA, MAIS J'EN AI TOUT SIMPLEMENT PAS LA FORCE ET JE ME DIS QUE DE TOUTE FAÇON, ON VA BIENTÔT QUITTER TOUT ÇA.

EH OUI.

TOC TOC

BEN TIENS, QUAND ON PARLE DU LOUP.

MAUNG AYE EST TRÈS CHIC, CE SOIR. IL A TROQUÉ SON ÉTERNEL T-SHIRT M.S.F. DÉLAVÉ POUR UNE CHEMISE BLANCHE. ET, INCROYABLE MAIS VRAI, IL A RÉUSSI À FAIRE PARTIR L'ÉPAISSE COUCHE QUI NOIRCISSAIT SES DENTS.

JE ME DEMANDE COMBIEN DE BROSSES À DENTS IL A DÛ UTILISER POUR ARRIVER À UN TEL RÉSULTAT.

IL ME MONTRE UNE PHOTO DE LUI AVEC UNE FILLE. SI JE COMPRENDS BIEN, IL VA SE MARIER AVEC ELLE. À MOINS QUE CE NE SOIT DÉJÀ FAIT. ENFIN, IL COMPTE LA REJOINDRE DANS UNE AUTRE VILLE.

ÇA LUI CHANGE COMPLÈTEMENT LA TÊTE. IL A L'AIR PLUS MINCE COMME ÇA.

VOYONS VOIR.

OÙ EN ÉTAIS-JE?

PLUS TARD, NADÈGE ARRIVE ET M'ANNONCE QU'ELLE A EU UNE PROPOSITION POUR RESTER PLUS LONGTEMPS, ET SI ÇA ME DIT, ON POURRAIT RALONGER D'UNE DEMI-ANNÉE.

EUH... PAS TROP.

UN AN, C'EST DÉJÀ PAS MAL, NON?

PLUS TARD DANS LA SOIRÉE, JE TOMBE SUR UN DOCUMENTAIRE SUISSE TRÈS BIEN FAIT SUR LA SITUATION DES RÉSISTANTS KARENS.

TIENS.

AUTREFOIS LA THAÏLANDE LES AIDAIT, MAIS DEPUIS L'ACCORD ENTRE LES DEUX GOUVERNEMENTS D'UN PROJET DE BARRAGE HYDROÉLECTRIQUE ILS SE RETROUVENT SANS ALLIÉS.

C'EST CURIEUX COMME TOUT ÇA PARAÎT ÉLOIGNÉ QUAND ÇA PASSE À LA TÉLÉ ALORS QUE C'EST JUSTE À CÔTÉ.

LES ENFANTS SONT MAIGRES, LES VIEUX MALADES, LES MILITAIRES BRÛLENT UN À UN LEURS VILLAGES ET ILS ONT À PEINE DE QUOI METTRE DES MUNITIONS DANS LEURS ARMES. LE SPECTACLE EST VRAIMENT DÉSOLANT.

PFF! ... QUAND JE PENSE QUE M.S.F. A ESSAYÉ PENDANT DES ANNÉES DE SE RENDRE DANS CES RÉGIONS.

ET MAINTENANT C'EST TERMINÉ, ON N'IRA JAMAIS LES AIDER.

BANGKOK

ACHATS

- SANDALES POUR LOUIS.

- GRAVEUR CD POUR ASIS.

2
1
6

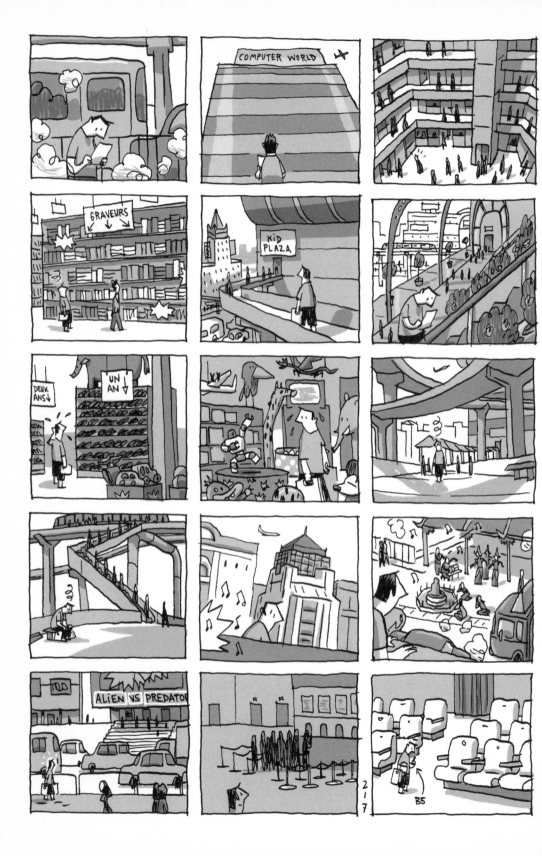

218

EN VOITURE

DEPUIS L'ANNONCE DE LA FERMETURE DE LA MISSION, L'AMBIANCE DANS L'ÉQUIPE DE M.S.F. EST PLUTÔT MOROSE.

LES RARES EXPATRIÉS QUI SE TROUVAIENT SUR LE TERRAIN SONT REPARTIS DEPUIS LONGTEMPS SANS AVOIR ÉTÉ REMPLACÉS. ET POUR CEUX QUI HABITENT ICI, C'EST BIENTÔT LA FIN DE LEUR GAGNE-PAIN.

FACE À CETTE SITUATION, NADÈGE FAIT DES PIEDS ET DES MAINS POUR RECASER TOUT LE PERSONNEL.

OUI, BONJOUR, C'EST AU SUJET DU POSTE DE GARDIEN QUE VOUS CHERCHEZ...

CE QU'ELLE PARVIENDRA À FAIRE EN S'Y CON-SACRANT JUSQU'À LA VEILLE DE NOTRE DÉPART.

DANS CE RELÂCHEMENT GÉNÉRAL, IL Y A EU UNE GRANDE NOUVEAUTÉ POUR MOI, LA POSSIBILITÉ DE CONDUIRE LA VOITURE.

APRÈS UN AN À FAIRE LE PASSAGER, JE PASSE DERRIÈRE LE VOLANT QUI SE TROUVE DANS CE CAS-CI À DROITE, COMME LA PLUPART DES VOITURES DU PAYS.

FAIT PROBABLEMENT UNIQUE DANS LE MONDE DE LA CONDUITE AUTOMOBILE, ICI, ON CIRCULE À DROITE AVEC DES VOITURES À L'ANGLAISE, DONC DOUBLEMENT À DROITE. ET CE, POUR DEUX RAISONS POLITIQUES.

POUR EN FINIR AVEC LE PASSÉ COLONIAL ANGLAIS, NE WIN DÉCIDA D'IMPOSER DU JOUR AU LENDEMAIN LA CONDUITE À DROITE.

EN 1961, IL N'Y AVAIT PAS BEAUCOUP DE CIRCULATION ET LE CHANGEMENT S'EST PASSÉ SANS PROBLÈME, M'A-T-ON DIT.

ET POUR UNE RAISON D'EMBARGO, LES SEULS VOITURES QU'ON A TROUVÉES DANS LE PAYS ÉTAIENT DES MODÈLES JAPONAIS AVEC LE VOLANT À DROITE.

RÉSULTAT : LES DÉPASSEMENTS SONT VRAIMENT PAS ÉVIDENTS.

JE COMPRENDS MIEUX MAINTENANT POURQUOI LES AUTOBUS ONT TOUS DES PORTES D'ACCÈS CONDAMNÉES DU CÔTÉ GAUCHE.

ET AUSSI, POURQUOI IL Y A TOUJOURS UN COPILOTE POUR GUIDER LE CHAUFFEUR QUAND IL VEUT DOUBLER UNE VOITURE.

IL Y A AUSSI LES PIÉTONS QUI TRAVERSENT N'IMPORTE COMMENT. ET SI ON A LE MALHEUR D'EN RENVERSER UN ET DE LE TUER, ON SE RETROUVE EN PRISON SANS PROCÈS.

ÇA S'EST DÉJÀ PRODUIT, ET IL A FALLU LES EFFORTS DE TOUTES LES INSTANCES DIPLO-MATIQUES POUR RÉUSSIR À SORTIR CET EXPATRIÉ DE LÀ.

MAIS DANS UN CAS OÙ C'EST UN MOINE QU'ON RENVERSE, ALORS C'EST DE LA PRISON FERME DIRECTEMENT ET SANS QUE PERSONNE PUISSE NOUS AIDER.

C'EST UN PEU STRESSANT.

MAIS SI JE ROULE AUSSI PRUDEMMENT AUJOURD'HUI, C'EST QUE JE SUIS EN PASSE DE ME LIBÉRER D'UNE GRANDE FRUSTRATION.

ÇA Y EST, TU ES PRÊT?

ALORS, J'ENLÈVE MA CEINTURE DE SÉCURITÉ...

PLUS TÔT, CE MATIN.

T'AS REMARQUÉ QU'ON NE TROUVE PLUS UN SEUL TAXI DEVANT LA MAISON? C'EST PÉNIBLE, J'ATTENDS DES PLOMBES SOUS LE SOLEIL.

C'EST PARCE QU'ILS PASSENT DEVANT AUNG SAN SUU KYI, ILS ONT RÉOUVERT LA ROUTE, MAINTENANT.

TU VEUX DIRE QUE TOUT LE MONDE PEUT PASSER DEVANT SA MAISON?

EN VOITURE UNIQUEMENT, IL Y A TOUJOURS DES MILITAIRES.

À CE QU'IL PARAÎT, ILS ARRÊTENT LES ÉTRANGERS. MAIS COMME ÇA VA VITE, ILS REPÈRENT CEUX QUI PORTENT LEUR CEINTURE DE SÉCURITÉ. LES BIRMANS NE LA METTENT JAMAIS.

OH! REGARDE, Y'A PLUS DE LAIT! JE VAIS ALLER EN CHERCHER. PASSE-MOI LES CLÉS.

PALISSADE EN BAMBOUS

QUOI, C'EST TOUT?

VIEUX DRAPEAUX DU N.L.D.*

ON VOIT RIEN, Y'A PLEIN D'ARBRES DEVANT SA MAISON.

PFF...

YOUHOU! AUNG SAN, ON EST LÀ!

* LIGUE NATIONALE POUR LA DÉMOCRATIE.

RETOUR
SUR LE
TERRAIN

JE RETOURNE SUR LE TERRAIN UNE DEUXIÈME ET DERNIÈRE FOIS AVANT QUE CETTE MISSION NE SE FERME.

MAIS CETTE FOIS J'AI UN BONNET.

ASIS

PAR CONTRE, JE N'AI TOUJOURS PAS DE PERMIS POUR CIRCULER DANS LES ZONES OÙ SE TROUVENT LES CLINIQUES DE M.S.F. ALORS ON A CONVENU AVEC ASIS QUE JE DORMIRAI À MOULMEIN, LA VILLE TOURISTIQUE, ET QUE JE LES ACCOMPAGNERAI DURANT LA JOURNÉE POUR LES VISITES —

LA NUIT SE PASSE PLUTÔT BIEN, J'AI MOINS FROID QUE LA DERNIÈRE FOIS.

FILM DE KUNG FU

SERVIETTE ÉPONGE

MAIS AU PETIT MATIN...

PAF!

NOTRE BUS TOMBE EN PANNE À QUELQUES KILOMÈTRES DU BUT. ON COMMENCE PAR ATTENDRE UNE ÉVENTUELLE RÉPARATION MAIS ON FINIT, COMME LE RESTE DES PASSAGERS, À ARRÊTER DES BUS LOCAUX POUR TERMINER NOTRE TRAJET.

ASIS ET NADÈGE AVEC LEUR TEINT MAT SE FONDENT PARFAITEMENT DANS LA FOULE. DU COUP, ON LEUR PARLE EN BIRMAN. ILS FONT SEMBLANT DE TOUT COMPRENDRE ET RÉCUPÈRENT LA MONNAIE.

MOI, ÉVIDEMMENT JE PASSE POUR UN TOURISTE EN DÉTRESSE ET UN GENTIL TRADUCTEUR VIENT À MON SECOURS.

IL EXPLIQUE... TU POUR PRENDRE AVEC VILLAGE?

EUH... OUI, D'ACCORD, MERCI.

OH!

VOYONS VOIR, DÉFENSE DE CONSOMMER DE... L'OPIUM, DE SE "SHOOTER" OU DE FUMER DE... C'EST UNE CIGARETTE, ÇA?

ON ARRIVE À DESTINATION AVEC QUELQUES HEURES DE RETARD. UNE VOITURE M.S.F. VIENT NOUS CHERCHER POUR NOUS RAMENER À MUDON. JE DEVRAI FAIRE LE CHEMIN INVERSE, CE SOIR, POUR VENIR DORMIR À L'HÔTEL.

L'AMBIANCE EST BEAUCOUP PLUS CALME MAINTENANT DANS LA GRANDE MAISON DE MUDON. IL N'Y A PLUS D'EXPATRIÉS ET LES ACTIVITÉS SE SONT PROGRESSIVEMENT RÉDUITES. POUR TOUS LES EMPLOYÉS ICI, C'EST LA FIN D'UNE ÉPOQUE.

ASIS RESTE POUR FAIRE L'INVENTAIRE PENDANT QUE JE PARS AVEC NADÈGE VISITER CES FAMEUSES CLINIQUES.

ON LONGE DES RIZIÈRES SUR DES KILOMÈTRES.

CERTAINS ARBRES ON L'AIR TOUT DROIT SORTIS D'UN FILM DE SCIENCE-FICTION.

ENSUITE ON TRAVERSE UNE SÉRIE DE PLANTATIONS DE CAOUTCHOUCS.

TU VOIS, LES OUVRIERS DE CES PLANTATIONS TOMBENT SOUVENT MALADES CAR LA RÉCOLTE DE LA SÈVE SE FAIT À LA NUIT TOMBÉE, ET C'EST AUSSI À CE MOMENT QUE LE MOUSTIQUE PORTEUR DE LA MALARIA AGIT.

C'EST ICI?

VOILÀ À QUOI RESSEMBLE UNE DE NOS CLINIQUES. ON NOUS A LAISSÉ L'USAGE D'UNE PIÈCE DANS CE CENTRE DE SOINS.

POUR CHAQUE CLINIQUE, M.S.F. A FORMÉ UNE MICROSCOPISTE.

MINGALABA.

MINGALABA.

ELLE RECUEILLE UNE GOUTTE DE SANG DU PATIENT QU'ELLE DÉPOSE SUR UNE LAMELLE.

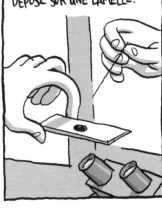

AVEC SON MICROSCOPE, ELLE DÉTERMINE S'IL S'AGIT DE PALUDISME ET, SI OUI, DE QUEL TYPE IL S'AGIT.

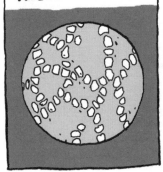

ENSUITE ELLE PRESCRIT LE TRAITEMENT SELON LES PROTOCOLES ÉTABLIS ET DISTRIBUE LES MÉDICAMENTS AU PATIENT.

CERTAINS PALUDISMES ENTRAÎNENT UNE MORT RAPIDE, D'AUTRES PROVOQUENT DES FIÈVRES ET REVIENNENT DE FAÇON CYCLIQUE. MAIS TOUTES LES FORMES DE CETTE MALADIE PEUVENT ÊTRE SOIGNÉES.

ET C'EST GRATUIT, LES MÉDICAMENTS ?

OUI, TOUT EST GRATUIT. LE PATIENT VIENT PARFOIS DE TRÈS LOIN, ALORS IL RETOURNE AVEC LA TOTALITÉ DE SON TRAITEMENT.

228

LA DEUXIÈME CLINIQUE SE SITUE DANS UNE ZONE INTERDITE AUX TOURISTES.

C'EST DANS CES ZONES QUE LA JUNTE COMMET LES PIRES HORREURS SANS AVOIR DE TÉMOINS GÊNANTS SUR LE DOS.

C'EST AVEC CE QUI SE PASSE DANS CES ZONES QUE LE MYANMAR EST RECONNU COMME ÉTANT UNE DES PIRES DICTATURES DE LA PLANÈTE.

AUJOURD'HUI NOUS ALLONS TENTER DE PASSER. HABITUELLEMENT LES GARDES NE CONTRÔLENT PAS TROP QUAND ILS VOIENT LA VOITURE DE M.S.F.

DE TOUTE FAÇON, Y'A PLUS GRAND CHOSE À PERDRE, VU QUE LA MISSION S'ARRÊTE LE MOIS PROCHAIN.

HÉ HÉ! ÇA Y EST, JE SUIS PASSÉ. JE SUIS DANS UNE ZONE INTERDITE.

À MOI L'AVENTURE.

À MOI LES SENSATIONS FORTES.

À NOUS DEUX, JOSEPH KESSEL!

229

ON S'ARRÊTE POUR VISITER UNE DEUXIÈME CLINIQUE.

TIENS, IL Y A DES VIEILLES GRAND-MÈRES DANS LES ZONES INTER-DITES. ZUT, J'IMAGINAIS ÇA UN PEU PLUS FAR WEST, MOI.

DANS LA SALLE DE LA MICROSCOPISTE SE TROUVE UNE CHAISE DE CONSULTATION QUI DOIT DATER DE L'OCCUPATION JAPONAISE.

IL Y AURAIT D'AUTRES CLINIQUES À VISITER MAIS ÇA SUFFIRA POUR AUJOURD'HUI. NOUS REBROUSSONS CHEMIN ET RETOURNONS DANS LA ZONE AUTORISÉE.

PFF... QUELLE DÉCEPTION.

MAIS AVANT DE RENTRER, ON FAIT UN ARRÊT DANS UN VILLAGE. LE PÈRE D'UNE MICROSCOPISTE EST DÉCÉDÉ HIER SOIR ET NOUS ALLONS PRÉSENTER NOS CONDOLÉANCES À LA FAMILLE.

ON NOUS INVITE À L'INTÉRIEUR ET ON NOUS SERT À MANGER. TOUT SE PASSE EN SILENCE.

AH D'ACCORD... JE COMPRENDS MAINTE-NANT COMMENT ILS RE-PLIENT LES FEUILLES SÉCHÉES POUR QUE LEURS TOITS SOIENT ÉTANCHES.

ON NE VIT PAS VIEUX EN BIRMANIE.
L'ESPÉRANCE TOURNE AUTOUR DES 60 ANS.

ON ME RAMÈNE JUSQU'À MON HÔTEL. JE SUIS
RAVI D'AVOIR PU ENFIN VOIR LES RAISONS
DE LA PRÉSENCE DE M.S.F.-FRANCE ICI.
ET DE FAÇON INDIRECTE, LA MIENNE AUSSI.

ON QUITTE LA FAMILLE DU DÉFUNT EN LEUR LAISSANT
UNE CONTRIBUTION FINANCIÈRE DANS UNE
PETITE ENVELOPPE.

JE PASSE LE LENDEMAIN À MOUL-
MEIN AVANT DE PRENDRE MON
AUTOBUS POUR LE RETOUR.

MA NUIT EST UN CAUCHEMAR. MON VOISIN ARRIÈRE TOUSSE
SANS ARRÊT ET CRACHE BRUYAMMENT DANS UN SAC EN
PLASTIQUE. JE PRIE POUR QUE CE NE SOIT PAS LA TUBERCULOSE.

COMME SI ÇA NE SUFFISAIT PAS, QUELQU'UN A EU LA
BONNE IDÉE DE RAMENER UN DURIAN DANS SES BAGAGES.
CET ÉNORME FRUIT DÉGAGE UNE TELLE PUANTEUR QU'IL EST
INTERDIT DANS LES AVIONS. ON DEVRAIT SONGER A LE BANNIR
DES AUTOBUS ÉGALEMENT.

MAIS OÙ AI-JE
MIS CE BONNET?

231

CONVERSATION

JE COMPRENDS PAS POURQUOI M.S.F. A DÉCIDÉ DE QUITTER LE PAYS.

AVEC VOS CLINIQUES, VOUS TRAITEZ 1000 PERSONNES PAR MOIS, C'EST PAS RIEN QUAND MÊME. VOUS ÊTES LOIN D'ÊTRE INUTILES. ALORS POURQUOI PARTIR ?

C'EST PAS JUSTE UNE QUESTION D'ÊTRE UTILE OU INUTILE. ON POURRAIT OUVRIR DES CLINIQUES DANS TOUT LE PAYS ET ÇA MARCHERAIT TOUT AUSSI BIEN.

MAIS CE N'EST PAS LA MISSION DE M.S.F.

LE GOUVERNEMENT NOUS OBLIGE DEPUIS MAINTENANT 2 ANS À TRAVAILLER DANS LES ENVIRONS DE MUDON.

OR MUDON N'EST PAS DANS UNE ZONE DE CONFLIT ET IL N'Y A PAS DE MINORITÉS VICTIMES DE DISCRIMINATIONS PARTICULIÈRES.

CETTE ZONE DEVRAIT ÊTRE PRISE EN CHARGE PAR LE SYSTÈME DE SANTÉ DE L'ÉTAT, TOUT SIMPLEMENT. PAS PAR M.S.F. ET CE N'EST PAS EN PROPOSANT DES SOINS ET DES MÉDICAMENTS GRATUITS QU'ON VA FORCÉMENT LES AIDER À SE DÉVELOPPER.

LE MANDAT DE M.S.F. EST DE VENIR EN AIDE AUX PLUS DÉFAVORISÉS. DANS NOTRE CAS, ON AVAIT CIBLÉ UNE POPULATION, LES KARENS, QUI HABITENT DANS LES MONTAGNES PRÈS DE LA THAÏLANDE.

DEPUIS 2 ANS, LE GOUVERNEMENT NOUS FAIT TOURNER EN ROND. IL NOUS EMPÊCHE DE NOUS RENDRE LÀ OÙ ON AVAIT PRÉVU D'ALLER.

DONC, FINALEMENT, IL N'Y A PAS D'ESPACE HUMANITAIRE POUR NOTRE MISSION.

À UN MOMENT, SI ON ACCEPTE DE RESTER, ON DEVIENT COMPLICE DES MANŒUVRES DU GOUVERNEMENT, ET PAR LE FAIT MÊME, UN INSTRUMENT DE DISCRIMINATION.

LE CONTRAIRE DE CE QU'ON VEUT FAIRE.

DEVANT CE CHOIX, ON PRÉFÈRE PARTIR.

ET POURQUOI ALORS LES AUTRES O.N.G. ELLES RESTENT ?

CERTAINES O.N.G. NE RENCONTRENT PAS LES DIFFICULTÉS QUE NOUS AVONS EUES. IL Y A UNE PLACE POUR EUX DANS CE PAYS.

AUTREMENT, IL Y A TOUTES SORTES D'O.N.G. IL Y EN A QUI SONT TELLEMENT PETITES QU'ELLES NE TRAVAILLENT QU'EN BIRMANIE. COMMENT POURRAIENT-ELLES PARTIR?

D'AUTRES QUI GÈRENT L'HUMANITAIRE COMME UNE ENTREPRISE, AVEC DES OBJECTIFS À ATTEINDRE LE PLUS EFFICACEMENT POSSIBLE.

D'AUTRES QUI SONT TOUT SIMPLEMENT COMPLAISANTES PARCE QUE C'EST TRÈS AGRÉABLE DE VIVRE ICI.

D'AUTRES PARCE QUE LA BIRMANIE ÇA FAIT TRÈS BIEN À METTRE SUR UNE PAGE WEB POUR RECUEILLIR DES DONS.

D'AUTRES QUI SONT ENTIÈREMENT FINANCÉES PAR DES GOUVERNEMENTS ET DONT LES MARGES DE MANŒUVRE SONT LIMITÉES.

ET SURTOUT, IL Y EN A QUI NE SE POSENT AUCUNE QUESTION ALORS QUE NOS ACTIONS, QU'ON LE VEUILLE OU NON, ONT DES RÉPERCUSSIONS IMPORTANTES SUR LES POPULATIONS QU'ON CHERCHE À AIDER.

ET C'EST LESQUELLES, LES COMPLAISANTES ?

2
3
4

MYITKYINA
(PRONONCEZ Mi-TCHi-NA)

POUR NOTRE DERNIÈRE ESCAPADE, ON A CHOISI DE NE PAS FAIRE DANS LE TOURISME MAIS DE PROFITER DE L'INVITATION DE DEUX AMIS BELGES QUI TRAVAILLENT POUR M.S.F.-HOLLANDE DANS LE NORD DU PAYS.

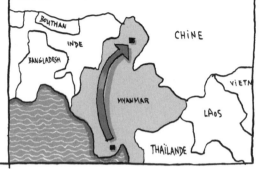

POUR S'Y RENDRE, ON EST CONTRAINTS DE PRENDRE LA COMPAGNIE AÉRIENNE DE L'ÉTAT "MYANMAR AIRWAYS" QUI A TRÈS MAUVAISE RÉPUTATION.

BAH! Y'A RIEN À CRAINDRE, ÇA FAIT AU MOINS UN AN QU'ILS N'ONT PAS EU DE "CRASH".

UN AN!

AH OUI, EFFECTIVEMENT, SI ÇA FAIT UN AN, C'EST TRÈS RASSURANT.

ET POUR BIEN NOUS ENCOURAGER, TOUS CEUX QUI SONT PASSÉS PAR LÀ Y VONT DE LEURS ANECDOTES.

"... SOUDAIN, UNE SIRÈNE D'ALARME RETENTIT ET L'HÔTESSE SE PRÉCIPITE DANS LA CABINE DE PILOTAGE..."

LE JOUR DU DÉPART, J'AI UN PEU LES MAINS MOITES.

IL Y A UNE TELLE CONDENSATION À L'INTÉRIEUR QUE L'EAU ME DÉGOULINE DESSUS.

AVANT LE DÉCOLLAGE, J'APERÇOIS DES CAFARDS QUI SE BALADENT SUR LES MURS.

PENDANT LE VOL, ON NOUS SERT À BOIRE DANS DES GOBELETS MAL LAVÉS.

NON...

JE RÊVE.

IL N'Y A QU'UN PETIT RIDEAU QUI NOUS SÉPARE DES PILOTES. L'UN D'EUX FUME ET, À UN MOMENT, ON ENTEND UNE RADIO QUI JOUE DE LA MUSIQUE.

UNE PHOTO DE BOUDDHA EST COLLÉE SUR LA VITRE AVANT DE L'AVION.

UNE HEURE PLUS TARD.

DING!

BON SANG, POURQUOI ON N'EST PAS ALLÉS À LA PLAGE COMME TOUT LE MONDE ?

ON NE CONNAISSAIT PAS GRAND-CHOSE DU KACHIN À PART TROIS OU QUATRE MOTS QUE NOTRE NOUNOU AVAIT APPRIS À LOUIS...

236

...ET QU'ILS SONT CHRÉTIENS.

CATHERINE ET THIBAULT TRAVAILLENT ICI DEPUIS UN AN, ILS TERMINENT BIENTÔT LEURS MISSIONS, C'EST POURQUOI L'UN DES REMPLAÇANTS EST AVEC EUX.

ON FAIT LE TOUR DE LA CLINIQUE DE MYITKYINA QUI ACCUEILLE LES SÉROPOSITIFS ET LES MALADES DU SIDA.

JE SUIS ASSEZ SURPRIS DE VOIR TOUTES CES CROIX DANS UNE CLINIQUE DE M.S.F.

THIBAULT ME RACONTE QU'IL AVAIT PLACÉ UN PANNEAU DEVANT UNE CROIX ET QUE LE PROPRIÉTAIRE MENAÇAIT DE NE PAS RENOUVELER LE BAIL S'IL NE L'ENLEVAIT PAS.

AZG

AU REZ-DE-CHAUSSÉE, UNE PETITE RÉUNION A ÉTÉ ORGANISÉE POUR PRÉSENTER LE REMPLAÇANT À L'ÉQUIPE LOCALE.

LES FILLES DU KATCHIN NE SONT PAS AUSSI TIMIDES QUE LEURS COLLÈGUES DU SUD. ELLES POSENT BEAUCOUP DE QUESTIONS AU NOUVEAU VENU.

ÊTES-VOUS MARIÉ ?

QUELLE TAILLE FAITES-VOUS ?

VOUS CHAUSSEZ DU COMBIEN ?

AVEZ-VOUS UNE PETITE COPINE ?

237

ON PRÉSENTE ENSUITE NADÈGE, ADMINIS-
TRATRICE, ET MOI-MÊME, DESSINATEUR.

C'EST GUY QUI A ILLUSTRÉ LE LIVRE POUR ENFANTS SUR LE H.I.V.

OOOOH!

AAAAAH!

C'EST BIEN FAIT.

MERCI BEAUCOUP.

ON L'UTILISE TOUS LES JOURS.

PETIT MOMENT DE FIERTÉ.

IL Y A AUSSI UN GROS TRAVAIL DE PRÉVENTION À FAIRE. ON N'EST PAS TRÈS LOIN DU TRIANGLE D'OR ET IL Y A BEAUCOUP DE DROGUÉS DANS LA RÉGION.

PRÉSERVATIFS ET SERINGUES SONT DISTRIBUÉS GRATUITEMENT.

70 000 CHAQUE MOIS!

PLUSIEURS AUTRES CLINIQUES ONT ÉTÉ OUVERTES DANS LES VILLES ENVIRONNANTES. DONT HPAKANT OÙ SE TROUVENT DES MINES DE JADE EXPLOITÉES PAR DES SOCIÉTÉS ÉTRANGÈRES. (PRINCIPALEMENT CHINOISES).

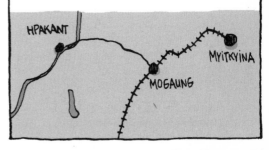

HPAKANT

MOGAUNG

MYITKYINA

IL PARAÎT QUE LORSQU'UNE GALERIE S'EFFONDRE, L'EMPLOYEUR NE CHERCHE MÊME PAS À SECOURIR LES VICTIMES, IL VA CREUSER PLUS LOIN.

238

ON RACONTE BEAUCOUP DE CHOSES SORDIDES SUR CETTE VILLE. J'AIMERAIS BIEN ALLER FAIRE UN TOUR DANS CE FAR WEST DU XXIᵉ SIÈCLE MAIS C'EST IMPOSSIBLE. DEPUIS PLUSIEURS MOIS, MÊME LE MÉDECIN DE M.S.F. N'EST PLUS AUTORISÉ À S'Y RENDRE.

À HPAKANT, LES MINEURS SE FONT PAYER EN DOSES D'HÉROÏNE.

LÀ, JE SUIS DE PASSAGE. EN ATTENDANT DE POUVOIR Y RETOURNER, JE TRAVAILLE DANS UNE AUTRE RÉGION.

IL Y A AUSSI DES ENDROITS QU'ILS APPELLENT DES "SHOOTING GALLERY" OÙ ON PEUT SE FAIRE FAIRE UN "FIX" POUR 50 CENTIMES D'EURO.

J'AI RENCONTRÉ DES FILLES QUI VIENNENT DE RANGOUN POUR SE PROSTITUER À HPAKANT. ELLES FONT JUSQU'À 40 PASSES PAR JOUR.

BONJOUR, LA PROPAGATION DU H.I.V.

À LA FIN DE LA JOURNÉE DE TRAVAIL, LES OUVRIERS ET LES OUVRIÈRES SONT FOUILLÉS POUR VÉRIFIER QU'ILS NE DISSIMULENT PAS DE PIERRES PRÉCIEUSES.

DANS LES MINES DE RUBIS, J'AI VU DES HOMMES QUI SE TAILLAIENT L'INTÉRIEUR DE LA JOUE POUR S'EN SERVIR COMME CACHETTE.

ALORS QUE LES FEMMES SE FONT FAIRE DES INSPECTIONS VAGINALES DANS DES CONDITIONS D'HYGIÈNE TELLEMENT DÉPLORABLES QU'ELLES EN CONTRACTENT DES INFECTIONS.

LÀ-BAS, C'EST LA CHINE.

AH, OUAIS, ON EST VRAIMENT TOUT PRÈS.

FAUTE DE POUVOIR VISITER HPAKANT, ON SE FAIT UNE BALADE DANS L'ARRIÈRE-PAYS.

JE CROIS QUE C'EST UN CIMETIÈRE DES VICTIMES DE L'INDÉPENDANCE DU PAYS.

ET ÇA, C'EST QUOI ?

JE SAIS PAS.

ON TOMBE SUR UNE MYSTÉRIEUSE CONSTRUCTION.

C'EST UNE PETITE PIÈCE, AVEC UNE CHAISE AU MILIEU.

IL Y EN A PLUSIEURS.

ALLONS VOIR.

IL Y A DEUX ÉTAGES.

AVEC UNE COUR À L'INTÉRIEUR.

AVEC DES PETITES PIÈCES PARTOUT.

ET UNE CHAISE DANS CHAQUE PIÈCE.

LÀ, IL Y A UNE CROIX !

HÉ, J'Y SUIS ! C'EST UN ENDROIT POUR VENIR PRIER.

C'EST ÉTONNANT COMME DISPOSITION, NON ?

ON SE CROIRAIT DANS UNE BÉDÉ DE JODOROWSKY.

240

...ET QUAND TOUTES LES PIÈCES SONT OCCUPÉES PAR DES FERVENTS PRIEURS, UNE ÉNERGIE MYSTIQUE S'EMPARE DE L'ÉDIFICE QUI SE MET À TOURNER ET S'ENVOLE COMME UNE SOUCOUPE VOLANTE.

VOUS CROYEZ PAS ?

LE SOIR AU RESTAURANT, NOUS FAISONS CON- NAISSANCE AVEC UNE FRANÇAISE QUI TRAVAILLE POUR UNE AUTRE O.N.G. ELLE NOUS PROPOSE DE PASSER VOIR SON PROGRAMME QUI SE TROUVE À QUELQUES KILOMÈTRES D'ICI.

BIEN DORMI ?

TRÈS BIEN, MERCI. DORMIR AU FRAIS, QUEL PLAISIR. J'AI PRESQUE EU FROID.

LA ROUTE POUR S'Y RENDRE EST TRÈS POUSSIÉREUSE.

UN COMMERÇANT DEVANT SA BOUTIQUE

DANS LE VILLAGE OÙ NOUS NOUS RENDONS, ON ESTIME À 86% LE NOMBRE DE GENS QUI S'INJECTENT, AU MOINS UNE FOIS PAR JOUR, UNE DOSE D'HÉROÏNE.

DANS CERTAINES FAMILLES, C'EST CAR- RÉMENT TOUT LE MONDE QUI SE SHOOTE !

VOUS FAITES QUOI DANS VOTRE CLINIQUE ?

POUR L'INSTANT, C'EST UN CENTRE D'ACCUEIL POUR DROGUÉS MAIS À TERME ON COMPTE OUVRIR UN PROGRAMME DE DÉSINTOXICATION À LA MÉTHADONE.

UN ASSISTANT SE CHARGE DE NOUS FAIRE FAIRE LA VISITE. IL NOUS PASSE UNE VIDÉO INFORMATIVE SUR LES MÉFAITS DES DROGUES.

SELON L'O.N.U. LE KACHIN EST UNE DES RÉGIONS OÙ IL Y A LE PLUS DE DROGUÉS AU MONDE.

ET COMMENT ILS TROUVENT L'ARGENT, CEUX QUI SE DROGUENT ?

ILS CHERCHENT DE L'OR DANS LA RIVIÈRE, QU'ILS REVENDENT POUR SE FAIRE UN SHOOT.

ILS VONT DANS LA FORÊT OÙ IL Y A DES DEALERS QUI LEUR FONT UNE INJECTION. ENSUITE, CERTAINS VIENNENT ICI POUR PASSER LA JOURNÉE.

ON ESSAIE DE LES DISSUADER DE PRENDRE DE LA DROGUE.

BON COURAGE! DANS UN ENVIRONNEMENT COMME CELUI-LÀ, MÊME AVEC LA MÉTHADONE LES RISQUES DE RECHUTE SONT ÉNORMES.

BIENTÔT, ON PRÉVOIT DE POUVOIR ESSAYER LA MÉTHADONE AVEC 7 PATIENTS.

ET ÇA, C'EST QUOI? C'EST DES BOÎTES DE TAMIFLU?

OUI, DU TAMIFLU, ON VIENT DE LES RECEVOIR.

VOUS AVEZ DU TAMIFLU MAIS PAS DE MÉTHADONE !

VOUS POURRIEZ FORMER UNE MICROSCOPISTE POUR FAIRE DES ANALYSES DE SANG ET DÉTECTER LE PALUDISME. C'EST TRÈS SIMPLE À METTRE EN PLACE.

IL FAUDRA EN PARLER AVEC NOTRE PROCHAIN CHEF DE MISSION, L'ANCIEN A DÉMISSIONNÉ LE MOIS DERNIER.

ON RETOURNE AU REZ-DE-CHAUSSÉE OÙ DES HABITUÉS SONT ARRIVÉS. IL Y EN A 3 ALLONGÉS SUR DES PAILLASSES, 2 DANS LA COUR À JOUER AU PING-PONG ET UN AUTRE APPUYÉ CONTRE UNE COLONNE, QUI ESSAIE D'ATTRAPER UNE VIEILLE GUITARE ACCROCHÉE À UN CLOU.

TOUT LE VILLAGE EST SILENCIEUX, IL N'Y A PAS ÂME QUI BOUGE.

ON IMAGINE, DERRIÈRE CES VOLETS CLOS, DES SCÉNARIOS SEMBLABLES À CELUI DU CENTRE D'ACCUEIL.

ON SE DEMANDE COMMENT LE GOUVERNEMENT PEUT ACCEPTER UNE TELLE SITUATION.

À MON HUMBLE AVIS, LE GOUVERNEMENT ÇA L'ARRANGE BIEN COMME C'EST LÀ. IL DOIT PRÉFÉRER VOIR LES JEUNES KACHINS SE DROGUER JUSQU'À L'OS PLUTÔT QUE DE LES VOIR PRENDRE LES ARMES ET GROSSIR LES RANGS DE LA RÉSISTANCE.

AU COIN DE
LA RUE

DE TOUS LES VOYAGES QUE J'AI FAITS DANS CE PAYS, C'EST FINALEMENT EN ME RENDANT AU COIN DE LA RUE QUE J'AI CONNU LE PLUS GRAND DÉPAYSEMENT.

UNE SEMAINE PLUS TÔT, UNE MAMAN DU BABY GROUP ME RACONTAIT SON SÉJOUR DANS UN TEMPLE BOUDDHISTE, À PRATIQUER LA MÉDITATION.

TIENS, J'AIMERAIS BIEN ESSAYER ÇA, MOI AUSSI.

SURTOUT NE VA PAS DANS CES CENTRES POUR TOURISTES, IL Y A UN TEMPLE VIPASSANA DANS LA GOLDEN VALLEY QUI EST TRÈS BIEN.

OÙ ÇA ?

VIPASSANA, VOILÀ, ÇA DOIT ÊTRE ÇA.

JE PARIE QU'IL Y A PERSONNE QUI PARLE ANGLAIS LÀ-DEDANS.

PEUT-ÊTRE QUE JE PEUX DEMANDER ICI?

BONJOUR, J'AIMERAIS AVOIR DES INFOS POUR VENIR MÉDITER DANS VOTRE CENTRE.

SI C'EST POSSIBLE.

UNE MOMENT.

ELLE S'ABSENTE ET REVIENT AVEC UNE MOINE AMÉRICAINE QUI HABITE ICI DEPUIS 12 ANS.

VOUS VENEZ QUAND VOUS VOULEZ ET POUR LE TEMPS QUE VOUS VOULEZ.

C'EST TRÈS SIMPLE.

ELLE ME DONNE TOUTES LES INFORMATIONS DONT J'AI BESOIN.

POUR LES ÉTRANGERS, C'EST GRATUIT.

AH BON? JE VAIS QUAND MÊME FAIRE UNE DONATION. IL Y A UNE BOÎTE QUELQUE PART?

NON NON, PAS DE DONATIONS, LES MOINES ICI ONT SUFFISAMMENT COMME ÇA.

ELLE EST VRAIMENT TRÈS MAIGRE ET SON CRÂNE EST PARFAITEMENT RASÉ. MAIS JE REMARQUE QU'ELLE A DU POIL AU MENTON. JE ME DIS QUE TANT QU'À RASER LA TÊTE, ELLE POURRAIT FAIRE LE RESTE... ENFIN, BON, ÇA DOIT ÊTRE LE CADET DES SOUCIS D'UNE MOINE AMÉRICAINE QUI VIT EN BIRMANIE DEPUIS 12 ANS POUR ÉTUDIER LE PALI*

*ANCIENNE LANGUE INDIENNE.

JE SERAIS BIEN CURIEUX DE CONNAÎTRE UN PEU PLUS SON HISTOIRE EN LUI POSANT ENCORE QUELQUES QUESTIONS, MAIS JE N'INSISTE PAS.

MERCI.

COMME PRÉVU, JE M'Y RENDS LE VEN-
DREDI MATIN SUIVANT POUR UNE COURTE
PÉRIODE DE 3 JOURS.

JE ME PRÉSENTE À L'ACCUEIL, UNE JEUNE
MOINE ME DONNE UNE PETITE DOCUMEN-
TATION À LIRE ET M'INSTALLE DANS UNE
PIÈCE POUR ÉCOUTER UNE CASSETTE.

"... LA PLUS VIEILLE FORME DE MÉDITATION
QUI A ÉTÉ ENSEIGNÉE PAR LE BOUDDHA,
IL Y A 2500 ANS ..."

EN UNE DEMI-HEURE, ON PRÉSENTE BRIÈVEMENT
L'HISTORIQUE ET LA TECHNIQUE DE MÉDITATION
PRATIQUÉE DANS CE CENTRE. JE COMPLÈTE
AVEC LA LECTURE DE LA BROCHURE.

BON, ÇA VA,
C'EST PAS TROP
COMPLIQUÉ.

LA JEUNE MOINE REVIENT ME CHERCHER
ET M'INDIQUE OÙ JE VAIS LOGER.

ET VOILÀ
VOTRE CLÉ.

MERCI.

ELLE REPART ET JE SUIS LAISSÉ À MOI-
MÊME JUSQU'À LA FIN DE MON SÉJOUR.

DANS MA PETITE CHAMBRE IL Y A UN LIT ET, CE QUI POURRAIT PASSER POUR UN LUXE EXCESSIF DANS CE GENRE D'ENDROIT, UN VENTILATEUR.

JE DOIS ÊTRE DANS UN BÂTIMENT RÉSERVÉ UNIQUEMENT AUX ÉTRANGERS. IL Y A DEUX TIBÉTAINS AU BOUT DU COULOIR ET UN INDONÉSIEN PLUS BAS.

PADVA AMIN TIBET

MAIS NOUS N'ÉCHANGERONS PAS LE MOINDRE MOT CAR "NOUS NE SOMMES PAS ICI POUR SOCIA- BILISER", COMME LE PRÉCISE MA BROCHURE EXPLICATIVE.

JE CONSULTE MON HORAIRE. RÉVEIL À 3:00, DOUCHE À 9:00, DERNIER REPAS À 11:00 ET DODO À 21:00. LA JOURNÉE ALTERNE ENTRE MÉDITATION ASSISE ET MÉDITATION EN MARCHANT.

L'ESSENTIEL ÉTANT DE NE PAS RATER LE REPAS DE 11:00.

D'APRÈS MON PROGRAMME, C'EST L'HEURE DE LA MÉDITATION, J'ESSAIE DE TROUVER LE HALL. POUR M'Y RENDRE, JE PRATIQUE LA TECHNI- QUE D'USAGE ICI QUI CONSISTE À ÊTRE PLEINEMENT CONSCIENT DE CHACUN DE SES GESTES. LA MARCHE, PAR EXEMPLE, SE DÉCOMPOSE EN UNE SUCCESSION D'ACTIONS SUR LESQUELLES NOUS DEVONS FIXER NOTRE ATTENTION. TOUT SE PASSE DONC AU RALENTI.

EH MAIS, IL N'Y A QUE DES FILLES LÀ-DEDANS. JE CROIS PAS QUE J'Y SOIS AUTORISÉ... IL DOIT Y EN AVOIR UN AUTRE POUR LES HOMMES, AU-DESSUS, PEUT- ÊTRE? MAIS COMMENT Y ACCÉDER?

APRÈS PLUSIEURS TENTATIVES, JE TROUVE LA SALLE POUR HOMMES. VU LA VITESSE À LAQUELLE J'ÉVOLUE, LA SESSION EST LARGEMENT ENTAMÉE. TOUS LES MOINES SONT DÉJÀ EN PLACE.

JE M'INSTALLE. J'ESSAIE DE RESTER CONCENTRÉ SUR MA RESPIRATION ET DE CHASSER CALMEMENT LES AUTRES PENSÉES, MAIS JE SUIS UN PEU TROP NERVEUX ET DÉBOUSSOLÉ POUR EN RETIRER QUOI QUE CE SOIT.

EN ATTENDANT L'HEURE DU REPAS, JE PATIENTE DANS MA CHAMBRE.

JE DESCENDS DANS LA COUR MAIS IL N'Y A PERSONNE. JE ME RENDS À CE QUE JE PENSE ÊTRE LES CUISINES, PERSONNE. OÙ MANGE-T-ON ? ET COMMENT Y VA-T-ON ?

UN PEU PERDU, JE RETOURNE À MON POINT DE DÉPART. HEUREUSEMENT MON CAMARADE TIBÉTAIN VIENT ME SORTIR D'AFFAIRE.

HÉ, DINER TIME.

OK, THANK YOU.

AH, ÇA DOIT ÊTRE ICI.

J'IMAGINE QUE JE DOIS PRENDRE LA FILE AVEC EUX.

SE

248

TOUT AU BOUT DE LA FILE, IL Y A LES MOINES DU TEMPLE, ENSUITE LES MOINES ÉTRANGERS, PUIS LES BIRMANS DE PASSAGE ET À LA TOUTE FIN, MOI, UN ÉTRANGER UN PEU LARGUÉ.

EN GROS, ÇA FAIT QUE DEUX CATÉGORIES, LES RASÉS ET LES CHEVELUS.

BON...

...QU'EST-CE QU'ON ATTEND?

BONG!

AH, ÇA Y EST.

LA SALLE À MANGER EST TRÈS GRANDE. LES FILLES SONT DÉJÀ ATTABLÉES. J'IMAGINE QUE C'EST POUR ÇA QU'ON ATTENDAIT SAGEMENT DEHORS.

AVANT DE SE SERVIR, LES MOINES ENTAMENT UNE PRIÈRE.

JE N'AI PAS TRÈS FAIM MAIS, SACHANT QUE CE SERA LE DERNIER REPAS, JE REMPLIS MON ASSIETTE.

SUR UNE ESTRADE, IL Y A LES MOINES DU TEMPLE QUI MANGENT CE QU'ILS ONT RECUEILLI EN PASSANT DEVANT LES MAISONS DU QUARTIER.

JE REJOINS LA TABLE DES BIRMANS DE PASSAGE ET DES MOINES ÉTRANGERS.

LES REPAS SONT COPIEUX. JE CROYAIS LES MOINES BOUDDHISTES VÉGÉTARIENS MAIS PAS DU TOUT, AUJOURD'HUI NOUS AVONS DU POULET ET POUR DESSERT DE LA GLACE AVEC DES MORCEAUX DE CHOCOLAT.

APRÈS UNE MATINÉE À TROUVER MES REPÈRES, JE ME SENS UN PEU PLUS DÉTENDU.

JE ME REMETS À LA MÉDITATION EN MARCHANT, MAIS JE NE SUIS PAS ENCORE TRÈS DOUÉ.

JE POSE LE TALON...

J'AMORTIS MON POIDS...

JE RALENTIS ...

JE RESSENS LE CONTACT DU SOL AVEC MA PLANTE DE PIED...

JE VAIS LENTEMENT ...

... OÙ ON VOYAIT TOUS CES VIEUX QUI DÉAMBULAIENT COMME DES ZOMBIES ...

ZARDOZ, ÇA VENAIT PAS D'UN LIVRE POUR ENFANTS ?

ÇA ME RAPPELLE CETTE SCÈNE DANS LE FILM "ZARDOZ" ...

AH OUI, LE MAGICIEN D'OZ, VOILÀ.

JE POSE MON AUTRE TALON...

TOUS, NOUS MARCHONS LENTEMENT ...

ÇA FAIT UN PEU HÔPITAL DE FOUS, QUAND MÊME ...

INCROYABLE, TOUTES LES RÉFÉRENCES DANS LE CINÉMA QU'A GÉNÉRÉES CE PETIT CONTE.

EUH ...

DANS L'APRÈS-MIDI, C'EST LA PANIQUE GÉNÉRALE.

QU'EST-CE QUE JE FOUS ICI ?

J'ESSAIE ENCORE UN PEU POUR LA FORME ET JE RENTRE CE SOIR.

ZUT, QU'EST-CE QUI M'A PRIS DE DIRE À TOUT LE MONDE QUE JE PASSAIS 3 JOURS ICI ?

J'IRAI À LA PISCINE DEMAIN AVEC LES ENFANTS AU LIEU DE PERDRE MON TEMPS ICI.

POUR TOUT DIRE, JE RENTRERAIS BIEN TOUT DE SUITE.

AYANT PRIS LA DÉCISION DE PARTIR, J'AI PU ME DÉTENDRE ET FINALEMENT, COMME ÇA SE PASSAIT MIEUX, JE SUIS RESTÉ.

MINE DE RIEN, C'EST PHYSIQUEMENT ASSEZ ÉPROUVANT, LA MÉDITATION.

IL EST ÉCRIT DANS LE MANUEL, QU'AVEC ASSEZ DE CONCENTRATION, ON ARRIVE À PASSER PAR-DESSUS LA DOULEUR. POUR MA PART, J'ARRIVE ENCORE À CHASSER LES DÉMANGEAISONS MAIS, AU BOUT D'UNE HEURE, J'AI MAL PARTOUT.

ÉVOLUTION DE MA POSITION AU COURS DU SÉJOUR.

JUSTE EN FACE DE MOI, IL Y A UN MOINE ÉTRANGER, TOUT DE GRIS VÊTU, QUI FORCE L'ADMIRATION. IL SE FAIT DES SESSIONS DE 2 HEURES D'AFFILÉE SANS REMUER UNE SEULE FOIS.

IL A VRAIMENT L'AIR DE FLOTTER DANS UN AUTRE MONDE, CELUI-LÀ. JE ME DEMANDE D'OÙ IL VIENT ? JAPON, CORÉE PEUT-ÊTRE ?

MA PREMIÈRE JOURNÉE SE TERMINE. IL EST 21:00, JE SUIS ASSEZ FATIGUÉ POUR ALLER DORMIR.

LE RÉVEIL SONNE À 3 HEURES, LA DEUXIÈME JOURNÉE COMMENCE.

AVANT LE DÉJEUNER DE 5:30, JE ME DÉCIDE À METTRE MON LONGYI. IL M'EST ARRIVÉ D'EN PORTER UN AUPARAVANT, MAIS JE NE ME SUIS JAMAIS SENTI TRÈS À L'AISE DANS CES GRANDES JUPES.

APRÈS UN JOUR ET UNE NUIT AU TEMPLE, L'AMBIANCE S'Y PRÊTE.

J'APERÇOIS LES MOINES QUI VONT SORTIR POUR ALLER CHERCHER DE LA NOURRITURE DANS LE QUARTIER. ILS PASSERONT DEVANT CHEZ MOI.

D'ÊTRE VENU AU TEMPLE M'AURA PERMIS D'AVOIR VU DE L'INTÉRIEUR CETTE GIGAN-TESQUE STRUCTURE RELIGIEUSE.

J'AI LA CURIEUSE IMPRESSION D'ÊTRE PASSÉ DE L'AUTRE CÔTÉ DU MIROIR.

VU D'ICI, ON ARRIVE À AVOIR LA DOUCE SENSATION DE SE TROUVER EXACTEMENT LÀ OÙ IL FAUT ÊTRE. ET TOUS CEUX QUI SONT DE L'AUTRE CÔTÉ PARTICIPENT À NOTRE DÉMARCHE ET NOUS ENCOURAGENT À RESTER.

LE TROISIÈME JOUR, JE REÇOIS UNE NOTE M'INVITANT À RENCONTRER UN MOINE SENIOR POUR PARLER DE MON EXPÉRIENCE.

YOGI "GUY"!

Sayadaw

5.01.06 (Tomorrow

I will tell the

YOGI GUY! HA HA!

JE PASSE CHEZ LUI, L'APRÈS-MIDI. LA JEUNE TRADUCTRICE M'Y ATTEND. JE FAIS PART AU MOINE DE CE QUE J'AI RESSENTI LORS DE MES MÉDITATIONS.

IL FAIT DES COMMENTAIRES ET ME DIT QUE POUR UN SI COURT SÉJOUR, J'AI AVANCÉ.

ELLE EST PLUTÔT MIGNONNE CETTE MOINE.

J'AVAIS SONGÉ PARTIR PLUS TÔT, MAIS FINALEMENT JE RESTE JUSQU'À LA FIN DE LA JOURNÉE, NEUF HEURES.

ALORS QUE JE FAIS MON SAC, JE REGRETTE DE NE PAS POUVOIR RESTER POUR LA PRO- CHAINE MÉDITATION AVEC LE CLAIR DE LUNE ET LA MOUSTIQUAIRE.

TOUT EST SILENCIEUX, JE DESCENDS DANS LA COUR D'ENTRÉE PRENDRE MON VÉLO. J'AI L'IMPRESSION D'ÊTRE ICI DEPUIS UN MOIS.

AVANT DE PARTIR, JE PASSE PAR LA BOÎTE DE DONATIONS ET J'Y METS TOUT CE QUE J'AI SUR MOI.

L'AYANT SU, JE SERAIS VENU ICI DÈS LE DÉBUT DE MON SÉJOUR AU LIEU D'ATTENDRE LES DERNIERS MOMENTS.

ET VOILÀ, YOGI GUY RETOURNE DANS LE MONDE ACTIF, DANS L'EXISTENCE DE L'IGNORANCE, DANS LE SAMSARA.

APRÈS 42 HEURES DE MÉDITATION EN 3 JOURS, JE ME SENS PAISIBLE COMME JAMAIS AUPARAVANT TOUT EN ÉTANT TRÈS ÉVEILLÉ. COMBIEN DE TEMPS VAIS-JE GARDER CET ÉTAT DE GRÂCE ? LE RETOUR SUR TERRE RISQUE D'ÊTRE RAPIDE.

NADÈGE CÉLÈBRE CE SOIR SON ANNIVERSAIRE ET LA FÊTE A TOUT L'AIR DE BATTRE SON PLEIN.

ET C'EST REPARTI MON KIKI.

PREMIERS
ADIEUX

QUEL BONHEUR DE TRAVAILLER LE SOIR QUAND LA MAISON EST VIDE ET QUE TOUT EST CALME.

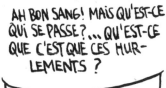

AH BON SANG! MAIS QU'EST-CE QUI SE PASSE?... QU'EST-CE QUE C'EST QUE CES HUR-LEMENTS ?

MAIS QU'EST-CE QU'ILS FABRIQUENT ICI ?

PENDANT LA SAISON DE NOËL, DES GROUPES DE CHRÉTIENS SE DÉPLACENT DE MAISON EN MAI-SON POUR CHANTER DES CANTIQUES.

PAR UNE CHAUDE SOIRÉE TROPICALE, C'EST PAS DÉSAGRÉABLE D'ÉCOUTER UNE CHORALE DE NOËL.

PLUS TARD, MAUNG AYE ARRIVE ET ME REPROCHE DE LEUR AVOIR DONNÉ DE L'ARGENT. IL M'EXPLIQUE QUE CE SONT DES BOUDDHISTES QUI SE FONT PASSER POUR DES CATHOLIQUES.

MAIS PEU IMPORTE, C'ÉTAIT TRÈS BIEN.

C'EST CE SOIR QUE MES ÉTUDIANTS ANIMATEURS VIENNENT ME CHERCHER POUR UN DÎNER D'ADIEU. TOUS LES 4 SONT VENUS.

ON COMMENCE PAR UN DERNIER COURS AVANT D'ALLER MANGER.

AVEC LES PRINCIPES DE BASE QU'ON A VUS, VOUS AVEZ TOUT CE QU'IL FAUT POUR FAIRE DE LA BONNE ANIMATION.

POUR LE REPAS, ILS ONT CHOISI UN RESTAURANT BIRMAN POPULAIRE QUI NE PAYE PAS DE MINE. JUSTE COMME JE LES AIME. APRÈS TOUTES CES HEURES PASSÉES ENSEMBLE, ILS ME CONNAISSENT BIEN.

ON MANGE BEAUCOUP, ON BOIT BEAUCOUP.

À LA FIN DU REPAS, IL Y A UN TOUR DE TABLE OÙ CHACUN ÉVOQUE UN FAIT MARQUANT DE SON APPRENTISSAGE DE L'ANIMATION AVEC MOI.

...J'AVAIS OUBLIÉ DE FAIRE MES EXERCICES ET...

ET ÇA SE CONCLUT INVARIA-BLEMENT PAR UNE VOLÉE D'ÉLOGES.

QUELLE CHANCE NOUS AVONS EUE D'AVOIR PU PROFITER DE VOTRE EXPÉ-RIENCE.

PFE !

TOUT ÇA EST TRÈS TOUCHANT. ET FINALEMENT, SI ON N'ÉTAIT PAS TOUS AUSSI BOURRÉS, ON AURAIT PEUT-ÊTRE VERSÉ UNE LARME, CAR AU FOND, NOUS SAVONS TRÈS BIEN QUE NOUS NE NOUS REVERRONS JAMAIS.

AU REVOIR.

À LA PROCHAINE.

LA
GRANDE
ROUE

30,4°C, C'EST LA TEMPÉRATURE JUSQU'À LAQUELLE J'AI TENU AVANT D'ALLUMER LA CLIMATISATION.

EN CONSULTANT MES NOTES, JE DÉCOUVRE QUE JE NE DÉPASSAIS PAS LES 26,5°C QUAND JE SUIS ARRIVÉ. COMME QUOI, ON S'HABITUE À TOUT, MÊME À LA CHALEUR ÉCRASANTE.

LA MAISON SE VIDE AU FUR ET À MESURE QU'ON S'APPROCHE DU DÉPART.

ÇA SENT LA PAGE QUI VA SE TOURNER.

ET COMME LA MISSION DE M.S.F. FERME SES PORTES EN MÊME TEMPS, TOUT DOIT DISPARAÎTRE. C'EST LE GRAND NETTOYAGE DE PRINTEMPS AU BUREAU ET À LA MAISON.

259

ON A TELLEMENT DE CHOSES À RAMENER QUE DEPUIS DES SEMAINES ON A DISTRIBUÉ UNE PARTIE DE NOS VALISES À TOUS CEUX QUI RENTRAIENT AU PAYS.

POUR TOUT RÉCUPÉRER À NOTRE RETOUR, ON DEVRA FAIRE LE TOUR DE LA FRANCE AU COMPLET.

PFF!

MAIS MALGRÉ ÇA, ON VA QUAND MÊME ÊTRE PLUS CHARGÉS QU'À L'ALLER.

MISÈRE.

PLUS QUE QUELQUES JOURS AVANT NOTRE DÉPART. HEUREUSEMENT QUE NADÈGE A RÉUSSI À TROUVER DU BOULOT À TOUT LE PERSONNEL. COMME ÇA, ON S'EN IRA LE COEUR PLUS LÉGER.

MOI, APRÈS PLUS D'UN AN ICI, J'AI L'IMPRESSION D'AVOIR VU CE QUE J'AVAIS À VOIR.

IL EST TEMPS D'ALLER CHERCHER LOUIS QUI TERMINE SA DERNIÈRE JOURNÉE À LA MATERNELLE.

MAUNG AYE M'ACCOMPAGNE. NOUS PASSONS PAR UN RACCOURCI QU'IL CONNAÎT.

TU AURAIS PU NOUS MONTRER CE CHEMIN PLUS TÔT, TOUT DE MÊME.

ET ALORS, CE MARIAGE ?

GRÂCE À SA GRANDE CONSOMMATION DE BÉTEL, MAUNG AYE A RETROUVÉ SON SOURIRE D'ANTAN.

À BIEN Y SONGER, JE ME DEMANDE SI JE LE PRÉFÈRE PAS COMME ÇA.

OUI, ELLE EST TRÈS JOLIE.

IL EST BEL ET BIEN MARIÉ MAIS SA FEMME HABITE DANS UNE AUTRE VILLE. JE N'AI PAS COMPRIS S'IL COMPTAIT LA REJOINDRE.

UN PETIT GOÛTER A ÉTÉ ORGANISÉ POUR LE DÉPART DE LOUIS. JE FAIS MES ADIEUX AUX PARENTS QUE J'AI CONNUS.

JE LES REVERRAI DANS QUELQUES JOURS LORS D'UNE GRANDE FÊTE QU'ON ORGANISERA À LA MAISON JUSTE AVANT D'ALLER PRENDRE L'AVION.